既成概念を崩せ

～息づく東大教養学科の精神～

グループ東大教養学科 1979 年卒
編集責任：前田昌孝／平川幸子

はじめに

私たちの多くは1979年（昭和54年）前後に東京大学教養学部教養学科を卒業した。ほぼ全員が現行制度で企業に継続雇用義務がある65歳の「実質定年」を迎えている。毎年同窓会を開いていたが、2020年春以降は新型コロナウイルスによる感染症の流行を受けて、物理的な会合は見送らざるをえなくなった。

本書は「その代わりに何かをしよう」と考えて皆で取り組んだことの成果物だ。2021年3月から一部会員の間で本の執筆に向けての初期的な議論を始め、ひな形を作成した後に会員全員に6月末を締め切りにして寄稿を要請。それを2カ月以上かけて座談会風にまとめ、10月に出版にした。会員組織がよく作る記念文集ではなく、一般の読者でも読み易いように、寄稿を分割・再構成して誌上座談会風に仕上げたが、出来栄えはいかがだろうか。

テーマは経済、社会、外交など硬いものから、私的な人生を振り返るやわらかいものまで多岐に渡っている。いずれもあすの世界や日本を支える人たちに伝えたいことばかりだ。コロナ下で満足なキャンパス生活を送れない学生の皆さんにも、学びのヒントを感じ取ってほしい。同窓生にはまだひと踏ん張りを求められている東芝社長の綱川智をはじめ、社会的に重要な役割を果たしてきた仲間も多い。失敗談も含め、後進の皆様には参考になるだろう。

改めて私たちを自己紹介したい。今でもそうだが、東京大学は入学後2年間の教養課程を経て、3年次から専門課程に入る。私たちの中核メンバーは1977年に教養学科国際関係論分科に進学した。教養学科は、主に東京大学の1、2年生に教育を施す教養学部の中に置いた3、4年生向けの専門課程で、本拠も東京都文京区本郷ではなく、目黒区駒場にある。

現在は学科構成がかなり変わったが、私たちの在籍中には国際関係論のほか、アメリカ科、イギリス科、フランス科、アジア科、文化人類学、人文地理学など10の分科で構成されていた。理科系から「転向」してくる仲間も多かった。法学、経済学、文学といった既成の学問分野をまたぐ学際的なことを履修するのが目的だった。教養学部の専門課程には教養学科のほかに、理科系の学生を集めた基礎科学科もあった。

教養学科は小さい組織なので、分科にかかわらず講義は一緒に受け、上下1~2年が一緒に勉強することも多い。だから、本書に寄稿した仲間も必ずしも1977年に国際関係論に進学したメンバーに限らず、他の分科の卒業生や1~2年の先輩・後輩もいる。65歳前後の今となっては当然、分科の違いや年次の差など意識することなく交流している。こうした仲間のなかには、若くして志半ばで命を落とした人もいる。

本書はそう簡単にできたわけではない。同窓生には新聞記者もいるし、文章を書くことに慣れている人も多いが、いろいろな意味で私たちは「お年ごろ」なのだ。当初、本書は「現役卒業」というタイトルで出版しようと考えていた。しかし、同窓生の間から「政治家は75歳でも現役。企業にも70歳までの雇用確保努力を求めようという時代に、65歳で『卒業』などといえば、甘ったれるなと叱られる」という声が出た。

ある同窓生は原稿に、会社で同期生が昇進し、自分が取り残された時の心情を面白おかしく書いた。読者を面白がらせる笑い話のつもりだったが、別の同窓生から「まだ現役で頑張るつもりなのに、サラリーマン的な嘆きなどに触れたくない」との声が上がった。

社会的地位に関係なく、これまでの半生に達成感をもっている人もいれば、もやもや感を持っている人もいる。もう第一線は引いたのだから、裃（かみしも）を脱いで何でも率直に語ろうと思っている人もいれば、鎧兜をそんな簡単に外せるかと思っている人もいる。

通常、本を出すには原稿を出版社に渡した後、初校ができ、直しを入れ、再校ができ、さらに直しを入れ、完成版という道のりをたどる。本書では大勢の同窓生からあれこれ「修正したい」という要望が殺到するのは目に見えているから、自分たちで印刷用の完全原稿を作成することにし、出版社に印刷直前のＰＤＦ原稿を渡す直前まで、手元で何度でも好きなように原稿を直せるように、作業工程を組んだ。

さまざまな思いを持った同窓生からの寄稿を、どうやって一般読者が読んでも違和感がないような出版物に仕立て上げるかは、コロナ下でのユニークな体験だった。お読みになると、「つながりが悪いな」と思われるところもあるかもしれない。変な言葉を補ってつなごうとすると、無理やり感が出て原文の良さが失われると考えて、あえてそのままにした。

「公式見解ではなく、本音を聞きたい」と感じられる部分もあるかもしれない。本書は寄稿をもとに編集しているので、内容はかなり濃いと思うが、リアルの討論会やインタビューをもとにした本のように、建て前発言を大胆に削ることはできなかった。

東京大学教養学科はどんなことでも既成概念にとらわれることなく、自由に語り合うことを重視している。65歳前後になってもその精神を大切にしている同窓生は多い。読者にもその雰囲気を感じ取ってもらえればありがたい。

目次

第1章　政治と官僚

政治・政策

開会を宣言

平沼亮　菅義偉前首相が偉かったのは、短期ではこども庁とデジタル庁、長期では２０５０年に二酸化炭素の中立を打ち出したことだ。２０２１年9月3日に突然、退陣しちゃったけれども、新しい歴史の流れに上手にフォーカスした実績は評価していい。歴史が動き出して面白い。前例主義と、縦割り組織運営の東大法学部は限界が露出するだろう。手前みそだが、これからは「偉大なる常識」を追い求める教養学科の時代が来るのだ。

デスク　座談会の口火をどこから切るのかと思っていたら、突然、菅前首相を持ち上げる話なの。国民の評価は低下の一途だったのに。野村証券出身の平沼さん、いつものことだけど、司会の私よりも先に話し始めないで。とにかくみんな元気だったか。

前田昌孝　同窓会も開けないから、どうしているのかわからないけれども、ここ1、2年、長年勤めてきた会社をやめたとか、近く退職する予定などと書いたメールが増えた気がする。完全引退ではなく社外取締役を務めたり、大学の非常勤講師として教鞭を取ったりする人もいる。

平川幸子　私も広島大学を2020年に退職して東京に引っ越してきた。私からの質問に答えるなどして本書に寄稿してくれたのが、巻末の一覧にあるように全部で21人。ほかにも重要な仕事をしてきた同窓生は何人もいて、結びの部分の編集後記に、名前を紹介した。本書をパスしたのは、それぞれの活動で忙しいからで、決して仲が悪いわけではない。同窓会には大半の人は参加する。

デスク　では開会を宣言する。新聞も一面の次は政治の話だから、まずは日本の政策の現状から話を始めよう。最初に読者に説明しておくけれども、「前田」と「平川」があちこちに顔を出すのは、この誌上座談会の編集責任者として座談会全体を切り盛りしているからで、他意はない。

前田　日本経済新聞社で記者の仕事を42年間してきたけれども、やはり歴史は大きく変わりつつある。菅前首相はグリーン化とデジタル化に照準を合わせているが、何を最優先にするかで本当に国のかたちは変わってしまう。威勢のいい話もあるけれども、このまま放置しておいていいのかと思う話もある。デジタル化なんて各論が全くダメ。グリーン化は具体策が伴うのかどうかがわからない。まずは政治がどう動くかだ。

平川　政治の問題を考えるとき、個々の政策の是非ではなく、国民の声を聞くシステムを取り上げたい。一つは米国で言う「ロビイング活動」、もう一つは最終手段としての選挙による政権の交代だ。両者は密接に関係している。日本の従来の政治では、農業団体、労働団体などが選挙で与野党を支援し、政策に影響を及ぼしてきた。今の野党は与党批判では一致しているが、政策提言という面では国民に訴えるものがない。

自民党の責任

辻泰弘　ひとことで言えば、野党統合の柱は、相対的に弱い立場に立つことを理念として明確に打ち出し、その基本姿勢をいついかなるときにも貫徹し、その理念に基づく政策の実現をめざすことではないか。

（図表１）政党別議員数

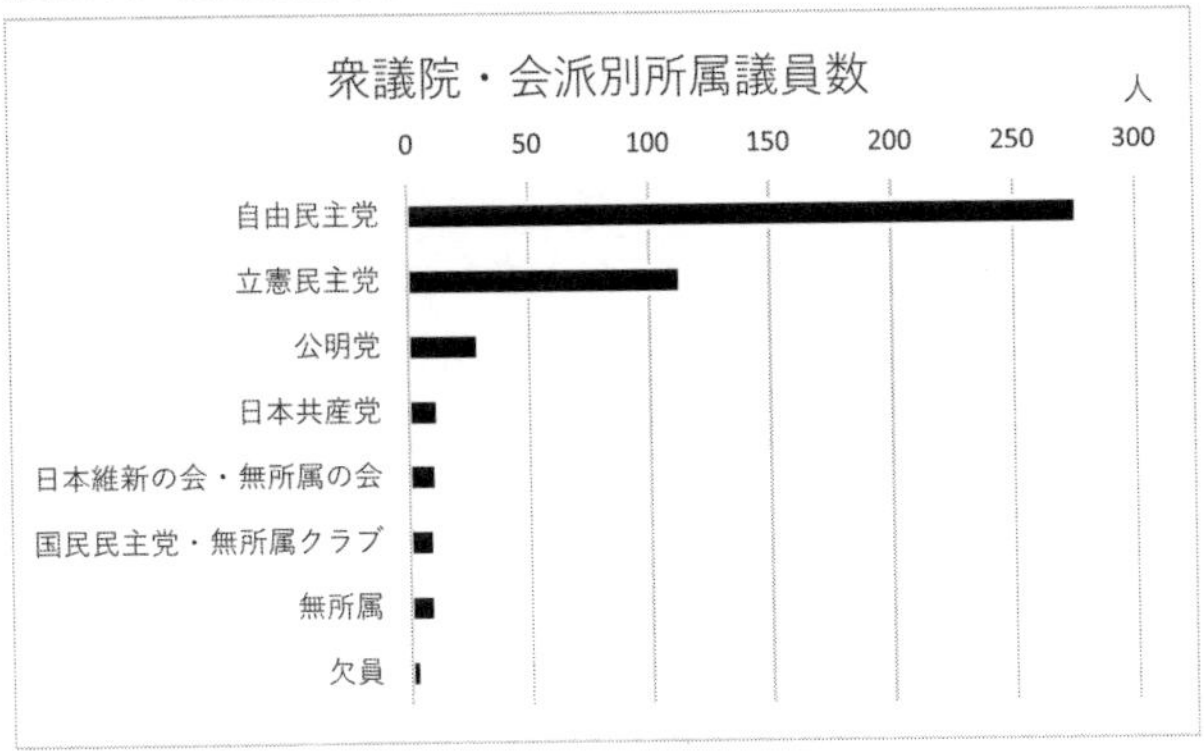

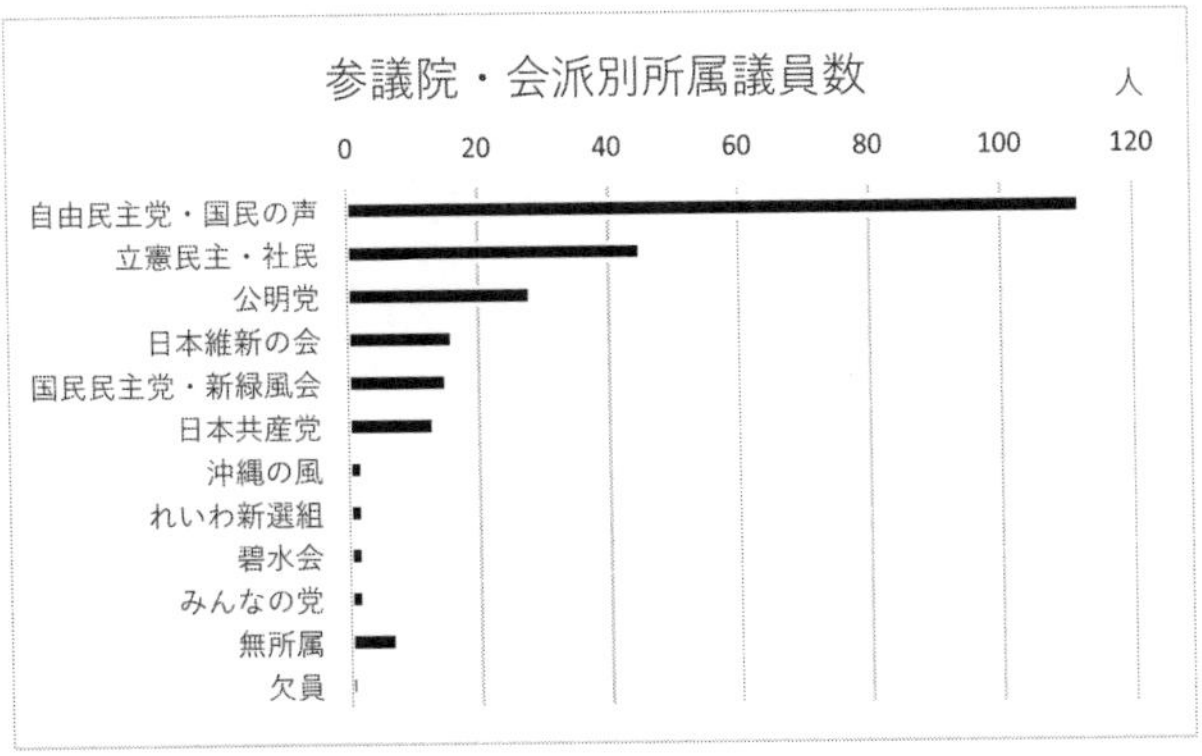

（注）2021年７月末現在
（出所）衆議院及び参議院ホームページのデータをもとにグラフ化

平川　でも内閣支持率は低下しても、野党への期待が高まったわけではない。

辻　自民党の政策がもたらした保健所機能の縮小・削減によって、コロナ禍への対応が非常に厳しくなった。カーボンニュートラルのために２兆円の予算を組んだ（２０２０年12月編成、２０２１年１月成立）のであれば、その意欲を持って、せめてその時期に、本来はその時期よりもっと早くに1兆円の予算でも打ち立てて、内外に手を打っていたならば、もっと早期のワクチン接種が可能だったのではないか。製薬会社の米ファイザーのトップに会って頼んだのも遅かった。

前田　五輪・パラリンピックの開催を予定していたのだから、「いつまでに何をしなければいけない」という日程表を作り、もっと計画的に動くべきだったと思う。先走って何かをすると叩かれることばかりだから、政治家も官僚も「指示待ち人間」になっていたのだろうか。でも野党も与党が動かざるをえないような説得力のある提案をしたとは思えない。「政府の政策がうまくいかなかったら難くせをつける」。その繰り返しだった印象だ。

平川　ファイザーのトップとの交渉だって、官僚がおぜん立てして、最後は首相に花を持たせるパフォーマンスだったと思うよ。政治のありようがワンパターンにみえる。日本を前に進めている感じがしない。

辻　権力政党になれば、当然、いろんな顔を見せることができるが、それでも突き詰めて見れば、自民党は強者の立場に立つ政党だ。労働界ではなく経済界に重きを置き、労働者よりも経営者の立場、「人に使われる弱い立場」よりも「人を使う強い立場」を優先する。経済界の主張に沿った政策運営を行い、派遣労働を「原則禁止」から「原則自由」にする規制緩和などにより、今日、非正規雇用が日本の雇用全体の4割を占めるまでになった。その結果として、不安定な雇用・生活不安・格差の拡大が日本社会を覆うようになった。

前田　そういう面もあるかもしれないけれども、激しい国際競争に直面しながら、人件費が高い正社員の解雇もできなかった企業経営者にとっては、他に人件費を抑える方策がなかったのではないか。それでも日本の失業率は国際的にみて低い。私の目にはそんなぬるま湯のような状態はいつまでも維持できるはずがないのに、政府は国民の目を厳しさからそらし、甘えさせているだけのようにみえる。

辻　将来不安が募り、「結婚できない」「子どもが持てない」状況が広がり、少子化を加速させた。人間をモノとして扱うのが当たり前であるような社会にしてしまったのは自民党の責任ではないか。

2大政党制の是非

小泉改革の評価

デスク　2大政党制になればうまくいくのか。

金原主幸　一般論で言えば、健全な民主主義社会のあり方として政権交代の可能性のある2大政党体制のほうが好ましいだろう。だが、日本の国政の現状を見ると、残念ながら2大政党も政権交代もほど遠いとしか思えない。実態は、もっぱら自民党内での権力闘争や調整の結果として、党内政権交代が繰り返されているようなものだ。外部の素人の目には、あたかも自民党内に与党と野党が混在しているように見える。

辻　自民党のこれまでの政策運営は、いわゆる新自由主義の考え方に基づくものだ。「野党統合の柱」の理念はおのずと「競争・効率・自己責任・規制緩和万能」を信条とする新自由主義への対峙ということになるだろう。

平川　でも民主党はいったん政権を担いながら、日本にも明るい未来があるのではないかとの希望を国民に抱かせることができなかった。もう一度、野党に政権を渡そうと考える人が出てくるかなあ。

辻　今の日本の政治の現状について語っておきたい。政治が要らない社会を作ることこそが政治の使命であると学生時代に教わった。その意味では、政治への関心が薄い今日の日本の社会はそれに符合している面もある。誰がやってもそれほど変わらないと思われている日本の状況はそれなりに幸せなことであり、一概に否定的に捉えるべきものではないともいえる。しかし、今日の日本社会でも、政治の対処次第で「国民の幸せ度合い」「社会のよさ度合い」は大きく変わりうる。

前田　私たち60歳代の内閣支持率は相対的に低いけど、若い人の支持率は高い。正直言って日本の政治家が何かしてくれるという期待はほとんどない。マクロでは少子化は問題だと思うけれども、ミクロでは自分の子どもが不幸にならないでほしいと願っているだけだ。子孫を増やしたいなんて考えていない。

辻　小泉純一郎元総理は今なお人気があるが、果たして小泉改革は日本に幸運をもたらしたのか。小

（図表２）進む少子化

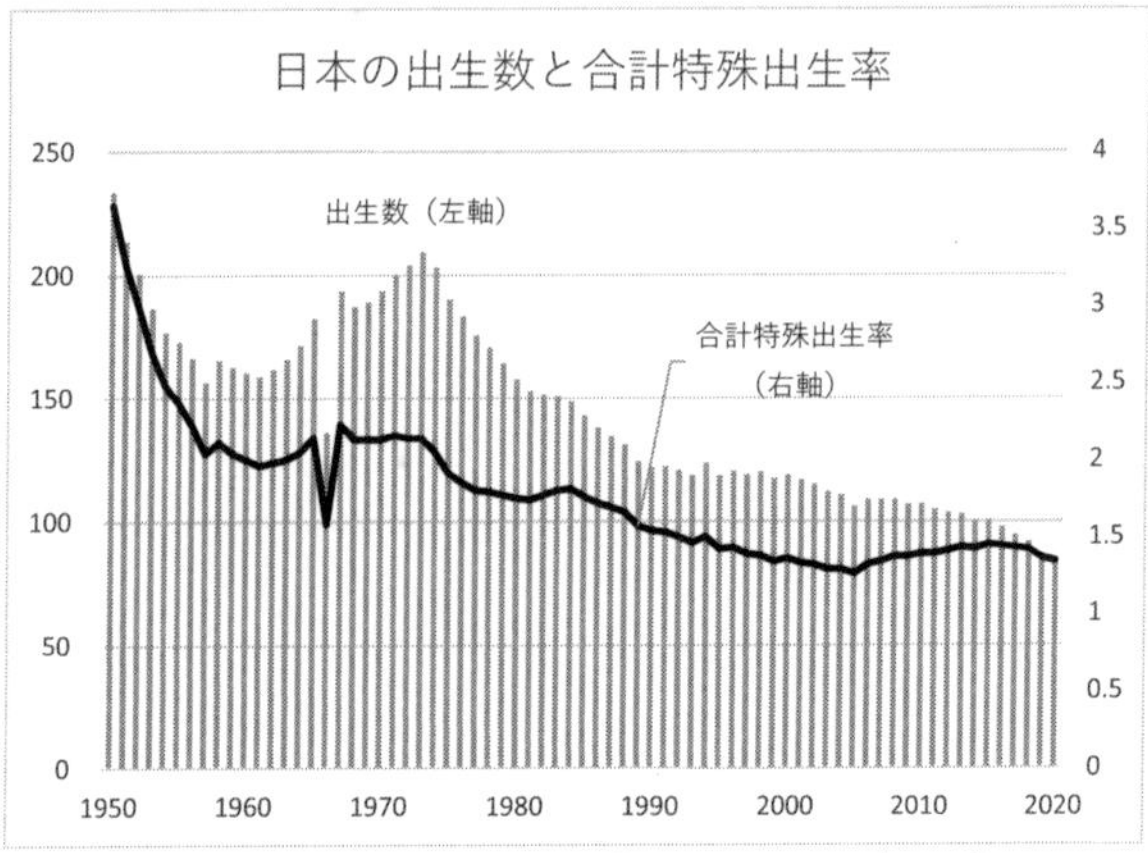

（出所）厚生労働省ホームページのデータをもとにグラフ化

泉氏の総理在任中は、ちょうど第2次ベビーブーム世代の女性が出産適齢期を迎えていた。抜本的な少子化対策を講じていたら、今日の少子化の様相も大きく異なっていただろう。

平川　辻さんが描く抜本的な少子化対策が何かは聞いてみたいが、経済の先行きが明るくならないと、いくら補助金を出すとか、保育施設を充実させるといっても、効果は知れていると思う。国民は表面的なことでは動かない。

辻　「郵政民営化に奇跡を起こす」が国民に信を問うときの小泉氏のスローガンだったが、的外れだったのではないか。「少子化に奇跡を起こす」政策こそが求められていた。少子化対策の絶好の機会を逃した

「罪」は極めて重いと思う。

平川　女性ひとりが生涯に産む子どもの数を示す合計特殊出生率は2020年に1・34だった。人口の維持に必要な2・07を大幅に下回っている。子どもを増やすには、親を幸せにするのが一番だと思うけれど、子育ては時間的・心理的・エネルギー的・経済的にたいへんだ。子どもを持つことで、友人と疎遠になったり、キャリアを変更しなければならなかったり、生涯にわたって不利益を受ける可能性がある。

前田　でも国によって出生率は異なるから、本当に効果的な政策を打ち出すことができれば、少子化には歯止めがかかるかもしれない。

平川　子どもは「普通」に育って当たり前、少しでも「普通」の道を外れると「親が悪い」と非難される。男親は、子どもに伴う義務と責任を女に被せて逃げることができる。極端な場合、元夫が養育費を払わないシングルマザーになって、悲惨な状況になる。そんなリスクを正しく評価していたら、親になりたい人、いないよ。

前田　それもちょっと極論だと思うけど。辻さんの話に戻そう。

辻　小泉改革はまさに新自由主義の理念に立脚した政策運営だったといえるが、非正規雇用の面でも、小泉改革で派遣労働の対象が大きく拡大し、今でも影響が及んでいる。政治の質によって、社会や国民生活の質は大きく変わると思う。

前田　新自由主義には悪い

（図表3）若者ニート率

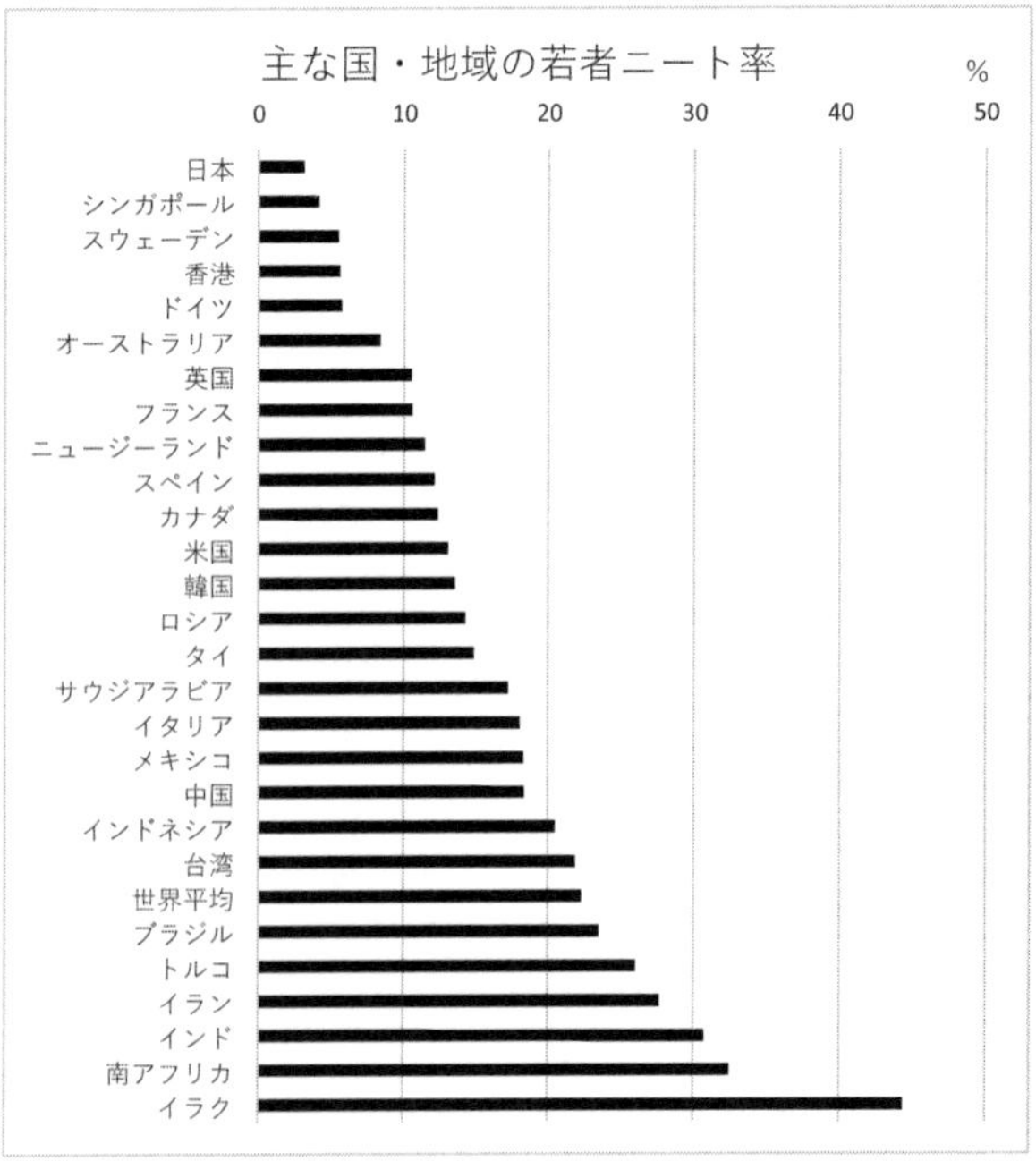

（注）2019年のデータ。若者NEETは15～24歳で就労・就学・職業訓練のいずれもしていない人の割合
（出所）国際労働機関（ILO）資料をもとにグラフ化

面もあったが、いい面もあったのではないか。バブル崩壊後の不良債権の重圧に押しつぶされそうな日本で、規制緩和に活路を求めようという声は、単に産業界が挙げただけではない。単発あるいは短期の仕事をするギグワーカーも生んだけれども、農業が成長産業になる手掛かりも得た。国際労働機関（ＩＬＯ）の統計をみると、若年層で学校にも行かず、就業もしていないニート比率は国際的にも極めて低い。将来の日本社会の安定につながり、少子化のマイナス面の一部を補っていると思う。

政党の役割とは

平川　金原さんは経団連（日本経済団体連合会）事務局で長年、日本の経済政策を見つめてきた。先ほど2大政党制は好ましくてもほど遠いと話していたが。

金原　選挙のたびに、野党の連携とか共闘とか叫ばれるが、政治のプロでもない一般国民の立場からすると、ただ単に自民党や公明党を政権の座から引きずり下ろすことのためだけに野党が結集しても、白けるだけだ。与党の政権維持にしても野党の政権奪取にしても、自己目的化が見え見えだ。こんな状態では国民は選挙にも政治にも関心が持てない。

辻　絶大な集票力を誇る支持団体を持つ公明党が、長期に日本の政治権力を牛耳り、権力基盤を強く固めきった自民党と手を組み、政権与党の地位を不動のものとした今日、日本の権力構造の根本を決定する衆議院の選挙制度が1名を選出する小選挙区制度である以上、与党に対峙しようとする野党が与党の集票を凌駕し、自公政権を過半数割れに追い込むためには、「全野党」の共闘がなければ不可能だろう。「全野党」とは「ゆ党」である「維新の会」を除き、共産党を含むものだ。

金原　選挙や政党の存在は、国民の生活をよりよくする政策を実現するためのプロセスと手段にすぎないのであって、決して目的ではない。与党であろうと野党であろうと党益あって国益なしでは、国民からそっぽを向かれるだけだ。

平川　野党も「また言っているよ」というような話ではなく、もっと具体的なことで「与党の政策にはこんな問題点があって、こう変えれば国民全体にプラスだ」といった主張をすれば、国民が耳を傾けるのではないか。新自由主義がいいかどうかなど、国民を二分するような議論ではなく、もっと細部のことで「へえっ」と思わせる主張を聞きたい。

金原　投票率が40％程度だった２０２１年7月の東京都議会選挙では、政治プロたちの予想が大きく外れ、都民ファーストの会の壊滅的敗北とはならず、自民党は大勝ちしなかった。マスコミは事実上の自民党の敗北だと解説し、政治評論家の諸氏は小池百合子都知事の選挙戦術の成功うんぬんを語った。だが、この選挙結果は、コロナ禍や五輪・パラリンピックに係わる菅前政権の対応への都民の漠然とした不安や不満が予想以上に大きく反映された結果だったと見るのが自然だろう。２０２１年秋に予定される総選挙で、全国の有権者が自公政権を見限って、一気に政権交代を選択する可能性が高いとはとても思えない。

共産党との共闘

平川　共産党を共闘に加えるのかどうかといった野党間の足並みの乱れも、自ら可能性をつぶしているようにみえる。

辻　今日までの歴史的経緯もあり、基本政策に違いがある共産党への拒否反応が野党陣営に強く見られることは十分理解できる。しかし、その方針を貫く限り、自公政権を凌ぐことは半永久的に望めない。共産党の持つ一定のエネルギーをコントロールしながら活用してでも自公政権を倒そうとするのか、そこまでして自公政権を倒さなくてもいいと引き下がるのかの違いに帰着する。

デスク　辻さんは個々の政党の違いを乗り越え、自公政権の打倒を優先する立場なのですね。

辻　共産党の基本政策の問題点として、天皇制と日米同盟が挙げられることが多いが、共産党は憲法改正に断固反対している。事実上、象徴天皇制を容認しているといえるのではないか。日米同盟についても、「野党連合政権」ができたときに、日米安全保障条約など日米関係の根幹については独自の主張を持ち出さないという。本当ならば、許容する余地はある。ましてや、自公政権打倒のために、閣外協力でも応じるというのならば、その熱意を受けとめてもいいのではないか。

デスク　というと。

辻　政治には包容、包摂、包含の論理が必要だ。中国の史記には「河海は細流を択ばず、故に能く其の深きを就（な）す」という一節がある。大河や大海はどんな小さな川の水でも受け入れるから大きく深いものになるという意味だ。その度量を持ちたい。

デスク　でも後でまとめて聞こうと思うけれども、連合の神津さんは反対ではないか。

辻　今や、共産主義の旗頭であったソ連は崩壊し、東西冷戦も終結した。共産党を名乗る政治勢力が支配している中国も、内政のどこが共産主義なのかと思う。言論を統制しなくては権力支配を維持する自信が持てない極めて未熟な統治の姿でしかない。「社会主義市場経済」を名乗り、公的な介入があるとはいえ、やっていることの本質は事実上、資本主義国家の一形態といえるのではないか。中国の覇権主義的行動が脅威であることは確かだが、共産主義の脅威ではなくなったのではないか。共産主義の破綻は現実が余すところなく証明している。今さら共産主義国家を作ろうなどというのは全くナンセンスだ。

前田　中国が共産主義ではないとすると、共産主義的な統治形態ってどういうものなのだろうか。政権批判の自由がないのは別に共産主義に限らず、多くの途上国に見られることだし、海外にあちこち出張取材したけれども、貧富の差がほとんどない理想社会なんてみたことがない。

辻　自公政権に代わって、相対的に弱い立場にある人たちのための政治をするために、「立っている者は親でも使う」覚悟で、かつ、決して主体性を失うことなく対処していく道を命がけで模索する。まさに、死中に活を求める必死の形相が必要であろう。それがあってこそ、初めて政権交代の道が開けるのではないか。

野合は見破られる

金原　ちょっと待って。有権者の多くは、たとえ現状に不満足でも急激な変化には慎重だし、政党や候補者個々人のイメージや好感度に左右されて投票する。各党の綱領やマニフェストを精読し、比較分析したうえで投票行動を決める有権者は少数派だろう。それでも国民はさほど誤った投票判断はしてこなかった。基本的な政治理念もイデオロギーも共有できない野党同士が共闘しても、有権者の多くは選挙に勝つための野合にすぎないことをすぐ見破ってしまう。

辻　自由主義経済体制の下で経済発展を遂げ、国民生活を豊かにし、民主的な社会を築いてきた今日の日本で、労働者階級が政治権力を握り、生産手段を国有化し、計画経済で国家を運営するような国家体制を本気で実現しようとする人がどれだけいるのか。それが、多くの人々の幸せを実現する道であるとまともに考える人がどれだけいるのか。多くの日本国民が日本を共産主義の国にしようなどと思うことはありえない。ましてや「暴力革命」によって日本を共産主義国家にすることなど、どう考えても不可能だ。

金原　与党・政府を厳しく批判するばかりで、国民の共感を得るような実現可能な政策のオルタナティブ（代替案）を提示できない今の野党が、たとえ共闘して政権を取ったとしても、かつての民主党政権の二の舞になるだけだ。当時の民主党政権には責任与党としての結束がなく、政党組織としてのガバナンスが欠如していた。当時、経団連との会議の事前打ち合わせがあり、某閣僚が「党内には未だに野党気分の連中が多くてまとまらない。全く困ったものだ」とぼやいていたことをはっきりと覚えている。

辻　日本での共産党の今日的「意義」は、自民党の権力支配に対する抗議、社会的な諸矛盾に対する怒りや満たされない思いの表明、社会的な弱者の代弁の要素がかなり大きいのではないか。自民党が最も恐れていることは、野党共闘が共産党を巻き込んで大きなうねりとなることだろう。かつて自民党も、政策的には全く相いれなかった社会党の党首を総理に担ぎ上げるという、手段を選ばぬ離れ業まで駆使して連立政権を作り、権力を奪い返した。国家権力の獲得は生半可な競争ではない。熾烈を極める血肉をはむ死闘だ。相手が一番いやがることをやりきってこそ、勝利も望めるのではないか。

前田　政治権力の奪い合いを通じて何か実現できるのかどうか、よくわからない。あまり単純に図式化するのはよくないかもしれないが、共産党の主張は足し算・引き算としてはわかる。大企業や富裕層から中小・零細企業と一般の生活者にお金を移しましょうということだからだ。その他の野党の主張は格差是正といっても結局、もっと補助金を出したり、減税をしたりしましょうということのようで、財源がどこにあるのかわからない。自民党には問題も多いが、デジタル化やグリーン化の政策を国民がしっかり見張っていけば、既得権益は崩せる気がする。そこにはメディアの役割もある。

新常態の政策パッケージ

平川　神津さんは2015年7月から連合（日本労働組合総連合会）の会長を務めてきたけれども、一連のやり取りを聞いてどう感じるか。

神津里季生　最初に共産党との連携の可能性について話をするけれども、天皇制や安全保障など国の根幹にかかわることで、共産党の考え方は私たち連合とは異なっている。皇族費や防衛費を含む予算案を共産党は受け入れないのではないか。共産党は連立政権を組んだ場合、日米安全保障条約の破棄などの主張を政権に持ち込まないと言っているが、それは共産党が魂を売ることにつながるのではないか。たとえ閣外協力でも、予算案に賛成しない閣外協力などありえないだろう。立憲民主党や国民民主党が共産党と同一歩調をとることはないと思う。

平川　でも今の野党ではやはり勢力が分散されてしまい、与党がよほどの失策でもしない限り、なかなか政権を取るところには至らないのではないか。辻さんのいう「相対的に弱い立場にある人たちのための政治」を目指して国民が結集するかどうかもわからない。もう少し「いいね」のボタンを押してくれる人が多いメッセージがほしい気がする。

神津　「雇用と生活保障のセーフティーネット」をはじめ、包摂的で持続性のある、「命と暮らしを守るニューノーマル」のパッケージが必要だ。

前田　何をどう変えるというイメージか。

神津　新型コロナウイルス禍であらわになった日本の脆弱性をただすには、政府施策の根本の発想を改める必要がある。これまでは危機的な事態になってもツギハギだらけの施策が繰り返されてきた。この結果、感染防止対策はあいまいで中途半端なまま、だらだらと続けられている。コロナ弱者の生活困窮に対する支援は申請主義の悪弊も相まって、質・量・スピード感のすべてにおいて不十分だ。

平川　２０２１年8月に入って、世論調査によっては菅内閣（当時）への支持率が30％を下回ることもあった。決して野党への政権交代の期待が高まっているわけではないが、人心一新を望む国民が徐々に増えているのかもしれない。

政治家への期待

気概に満ちた政治家の迫力

デスク　日本の政治家のレベルは上がってきたのか?

辻　今から40年近く前、私は民社党に所属していたが、個人の銀行口座の状況を把握しようとするグリーン・カード（少額貯蓄非課税制度の限度額管理に用いる）制度が問題となったとき、反対の急先鋒に立っていた春日一幸氏（元委員長）は、当時の竹下登大蔵大臣からの電話に対し、反対の論旨を述べた後に、「貴殿の対応如何に

グリーンカード 実施要領固まる
マル優 分散先すべて記入
郵貯 通帳にカード番号
虚偽の申請には罰則
金融界は反発 「郵貯などしり抜け」
興銀などが600億円 協調融資団を結成
米五輪委 カーター提案支持 「モスクワ、変更か中止」
外交・予算で論戦

グリーンカード制度の内容を伝える日経朝刊（1980年1月28日）

よっては、共産党を抱き込んででも闘うぞ。ワシはそれぐらいの戦略、持っとるぞ」と威嚇していた。竹下大臣が受話器を通じて「はい。はい」とかしこまって返答する声を、はっきりと間近に見聞きした経験がある。

前田　当時、私は1年生記者でレジャー産業を担当していた。日本興業銀行が幹事となってオリエンタルランドに協調融資をする、つまり、東京ディズニーランドを本当に建設することになったという特ダネをつかみ、日経1面に売り込んだのだけれども、「グリーン・カード制度の実施要領固まる」という話が1面アタマになり、私の特ダネは1面の3段記事に追いやられた。「テーマパーク」なんていう言葉がない時代に、新パークをどう説明するか苦労したよ。巨大な遊園地というのもちょっと違うし。

平川　あとでつぶれるようなグリーン・カード制度の話を大きく取り上げ、1983年に本当に開園した夢の国の話を小さくするなんて、日経らしいわ。でも当時は興銀も先見性を持っていたのだね。どこで間違えたのだろう。

前田　日経の先読みの悪さをおほめいただき、ありがとう。でも記事を細かく見ると、興銀も融資に債務保証が得られることになったから貸すことにしたと書いてある。担保主義みたいなものだ。ディズニーランドの事業性を評価したわけではない。金融機関がバブルで踊り、痛い目にあったのも、この辺が萌芽ではないか。辻さんの話に戻そう。

辻　グリーン・カード制度のもくろみは１９８５年につぶれ、今日のマイナンバーカード（銀行口座とのひも付けは義務化されていない）まで時間が経過するが、その政策の当否は別として、本気で自民党と闘おうとするときの政治家の姿勢として、私は気概に満ちた春日氏の迫力ある姿を決して忘れることができない。春日氏は最も強烈な反共の闘士でもあった。今日の野党の指導者にもその気迫を持って、ことに当たってもらいたいと思う。

金原　日本の政治家のレベルが以前より高いか低いかは一概には言えないが、少なくとも政策通の国会議員が増えている印象はある。閣僚人事も、当選回数重視の度合いが減ったのではないか。昭和の時代には、現職の閣僚がテレビの生放送番組に出演して自分の言葉で政策を丁々発止と議論をすることなどはほとんどなかった。かつては経団連の事務局が政策論議をする相手はもっぱら官僚だったが、平成以降は閣僚レベル含め政治家との議論の機会がかなり増えた。もっとも、政策通は2世議員に多い。政治家の世襲には批判があるが、地盤、看板、鞄のそろった2世議員はいわゆる「どぶ板選挙」に時間とエネルギーを割かずに政策の勉強ができるから有利だという説もある。悩ましいところだ。

辻　日本の政治の現状についてもうひとつ語っておきたいのは、自民党政治の劣化についてだ。ひと昔前の自民党は、もっと幅広く、奥行きもあり、懐の深い、立派な政党だった。近年、非常に了見の狭い、小さな存在となってしまった。誠に残念であり、日本の政治にとっても極めて憂慮すべき状況だ。

デスク　「森友・加計・桜」などの疑惑や検察官人事などの不祥事のことか。

辻　以前、共産党委員長を務めた不破哲三氏のインタビュー記事を読んだことがあるが、田中角栄総理（当時）は予算委員会などでの不破氏の質問を正面から受けとめ、質疑の後にそれを踏まえて対処することがあったという。また、福田赳夫総理（当時）の時期には、日米首脳会談が行われる際には、必ず野党党首と会談し、不破氏も参加していた。急に首脳会談が設定され、事前に野党党首との会談ができなかったこともある。このときには、事後に福田総理からお詫びの電話があったという。後の中曽根康弘総理が大臣在任のときには、予算委員会での次の質問者だった不破氏に対し、質問時に席を外さざるをえない事情ができたことを、わざわざ不破氏の席まで駆け寄ってきて了承を求めたこともある。

問題は与党か野党か

前田　その手順が大切なことなのか、あいさつの有無を問題にしているだけなのか、第三者にはわかりづらい。ただ、国会での党首討論などを聞いても、お互いに言いっ放しで議論が深まる様子もない。政党政治の限界を感じさせる。

辻　共産党の主張を聞いても、自民党の総理がそれを日米首脳会談の席で反映させることなど、およそなかっただろう。それでも一国を代表して日米首脳会談に出席する以上、国民の代表であるすべての政党の声を聞いたうえで臨もうとする姿勢の正しさ、志の高さに心しびれる思いがする。日本の総理大臣は国会の首班指名のプロセスを経て選ばれるが、選ばれた総理大臣は、指名しなかった人々をも代表した立場にあるはずだ。往時の自民党のトップたる歴代の総理には、その心構えが脈々と生きていたのだと思う。

前田　もちろん日本を代表して米国や中国のトップに会うのであれば、外交戦略や防衛戦略について、日本の国益を代表して適切な発言をしなければならない。菅前首相だって、野党の党首に傾聴すべき発言をしている人がいれば、話を聞きに行っていたのではないか。段取りを踏まないことに多くの国民がおかしいと言わないのは、野党の側にも問題があるのではないか。

辻　外交問題に限らない。近年の総理大臣の姿はどうか。たとえどのような主義・主張の持ち主でも、国会議員は国民の代表だ。その国会議員の質問に対して、「質問を早く終われ」「貴方にそのようなことを質問する資格があるのか」などと発言した総理がいたことは記憶に新しい。「民主党政権時代は悪夢であった」という発言もあったが、国民が選んだ結果であった以上、それを尊重し、敬意を表する心を持たず、ただ「悪夢」と表現することは、「国民がバカだった」と断じるに等しい。「あんな人たち」という言い方もあったが、国民とともに歩む志・精神が微塵も見られなかったことは、誠に情けなく感じた。

前田　乱暴な言い方であり、問題になるだろうと私も受け止めた。森喜朗元首相の女性蔑視発言と似ている。しかし、安倍晋三内閣の支持率は最後まで割と高かった。日本経済のミクロを取材している記者から見ると、日本の政策は細部に問題が大ありだ。野党もそういう点を細かく突けば、国民の共感を得られそうなのに、面倒なのか不勉強なのか、「へえー。こんなことを調べてきちんと主張するのか」という驚きを感じることがまるでない。野党が何か言っても「また揚げ足取りしているよね」で終わることが多すぎる。

辻　菅前総理は安倍元総理ほど露骨ではなかったが、コロナ、オリンピック、記者会見、国会質問などの対応面で国民に語りかけ、ともに歩む姿勢は感じられず、国家ビジョンもなかった。ついでに言えば、かの「アベノマスク」は余りにもお粗末で、安倍政権の真の実力を露呈していた。安倍元総理の「今後10年は消費税率引き上げの必要なし」との発言も、真に日本の国の将来を思う人物の見識とは思われなかった。

平川　SNS（交流サイト）が発達し、国民は専門家も素人も自由に声を上げている。無責任な誹謗中傷も多く、閉口することもあるが、傾注すべき内容があれば、マスコミが取り上げ、国民世論に発展することもある。政党政治よりも効率的に国民の意見を踏まえた政治ができるようになったのではないか。野党党首に気を遣う政治家よりも、国民に対して誠実な政治家のほうが立派に見える。

デスク　族議員のプラスマイナスをどう考えるか。

島崎謙治　族議員というと利益団体の代弁者という悪いイメージだけで語られがちだが、政治家が特定分野の政策に精通すべく研鑽を積むことは大切だと思う。かつては税制の山中貞則氏、社会保障の橋本龍太郎氏のように、役人以上に専門分野に通暁した政治家がいた。野党にも手強い論客がそろっており、彼らを納得させられるかを意識しながら政策論議が行われた面があった。政治課題の高度化・専門分化が進むなかで、エキスパートの政治家の存在はこれまで以上に重要になるが、残念ながら実態は逆行しているようにみえる。

デスク　陳情と政策提言はどう違うのか？

平川　自分たちのためだから陳情、国全体のためだから政策提言というが、現代の複雑な社会では、自分の利益と全体の利益は絡み合っていて分けることができないのではないだろうか。農業団体も「日本の食料自給率を上げよう」と食料安全保障論を主張してきたし、貿易自由化や国際競争力強化も、反対する人々からは「結局自分たち大企業の利益」と批判されるだろう。

金原　陳情と政策提言は似て非なるもので、両者は全く異なる。通商政策の世界で言えば、農業団体などによる自由化阻止や補助金(対策費)の要求などは陳情の典型だ。経済界が世界貿易機関(WTO)ドーハ・ラウンドの早期妥結や環太平洋経済連携協定（TPP）交渉参加を主張したのは政策提言だった。特定の産業やグループの利益確保ではなく、日本の経済社会全体の利益に資する働きかけだったからだ。貿易投資の自由化は産業構造の転換を促し、日本の競争力強化につながるが、勝者や敗者があらかじめ決まっているわけではない。特定の業界や企業が市場開放や国際化のために陳情することなどありえないが、陳情の積み上げによる政策に慣れきっている政治家にはそれが理解できない。

平川　自分の利益を守るには、それがみんなの利益でもあると主張するのが成功の近道。そうやって多くの人を説得し、国論が作られていく。自分の利益のために動くのは、人間として当たり前で、基本的人権である幸福を追求する権利の一部、卑しむべきことではないと思う。

前田　「そうされると困るから、それをやらないでください」などとむしろ旗を上げるのが陳情で、「こういう政策に切り替えるともっといろいろなことがうまくいくと思う」というのが、政策提言ではないの。政策提言は政府機構を動かして実現させるのだから、言うほうも相当の理論武装が必要だ。私たち新聞記者も何かを書いて世の中を動かそうとするときには、ものすごくいろいろなことを調べ、さまざまな反論も予想し、隙を見せないように最大限の努力をする。

小選挙区制の功罪

前田　昔のような大物首相がいなくなったと言われているが、私たちが年齢を重ねて余計な知識が増え、昔は気づかなかったことが気になり始めた面もあるのではないか。政治が悪いのは政治家を選ぶ国民が悪いからで、マスコミの報道の仕方も悪いと言われれば、そうかもしれないと思うこともある。今どき新聞を「社会の木鐸だ」などと言う人はいない。ただ、衆議院の小選挙区制はこのままでいいのだろうか。中長期的な視野を持つ国民の声が政治に反映しにくくなっている。

平川　私は小選挙区制賛成。政権交代の可能性があることは、いいことだ。その可能性がないと、政治は腐敗する。安倍政権は権力者とお友達になって幸せをつかむ特権階級がいることを明るみに出してしまい、日本を美しくない国にした。残念だった。選挙で落ちる心配がないから、緊張感を欠いたのではないか。選挙で落ちる心配がなければ、中長期的視野が持てるというのは幻想ではないか。

前田　選挙制度と政権交代の可能性との関係は、科学的に研究しないとよくわからない。あくまでも印象論だが、相手よりも1票でも多くとることを優先するあまり、国民に分かりやすい問題しか政治家が議論しなくなった気がする。選挙違反とか接待疑惑とか善悪が明白なことだけを執拗に追及し、国民がみなで考えるべき高度で重要な問題は素通りされている。もっと将来の国のかたちをどうしていくかという議論を深めてほしい。

平川　中長期的な視野を持つ国民の声をもう少し具体的に説明してくれたら、私も小選挙区制の見直しに賛成できるのかもしれないけれど。

前田　どんな社会を築きたいと思っているのか、政治家一人ひとりが私たちに見せてほしい。能力差があっても、貧富の格差が小さい社会が理想なのか、世界に尊敬されるような国づくりを目指したいのか。もちろん欲を言えばきりがないけれど、私はどんな仕事でもきちんと努力している人が尊敬され、死んだら家族や友人・知人がきちんと弔ってくれるような社会であれば、十分だと考えている。

辻　選挙制度の改革も現行の選挙制度で選ばれた国会議員が当事者として担っているのだから、当面、選挙制度が抜本的に見直されるとは思えない。ともあれ、いかなる選挙制度の下でも、相対的に弱い人の立場に立つ政治勢力が自民党に対峙して存在し、自民党に物申し、折あらば政権交代がありうることを示してこそ、日本の政治全体が研ぎ澄まされ、より民主的で、透明で、人にやさしい社会を作る方途だと確信している。

官僚の仕事

「質が低下」は誤解

デスク　官僚志望の学生が減っている。どうしたら就職人気が高まるのか。官僚人生の面白いのはどんな点か。

内野淳子　私が就職した当時は、日本の企業で女子を男子と同じように採用するところは限られていたので、結果的にこうなった。今は選択肢が多くあり、官僚を志望することが少ないかもしれない。官僚人生といっても、2年前後の人事異動で多くの職場を経験し、地方自治体や研究機関にも出向できてよかった。政策立案過程のいろいろな場面に関与できたのも面白かった。ずっと官僚を続けるかどうかは別として、何年間か官僚人生を経験できる選択肢があるのならば、お薦めしたい。

島崎　政治家と官僚は両々相まって国のかじ取りをしている。政治主導とは官僚が政治家に唯々諾々と従うことではない。官僚は専門家として必要な政策を企画立案し、政治の決断を仰ぎ、決定された政策を誠実に執行するのは当然だが、政治家の判断が間違っていると思えば、率直に意見を申し述べ、再考を促すことが求められる。

平川　清水さんは米国駐在から帰国したとき、多くの企業から転職の誘いがあったと聞いたが、官僚を続けてよかった点は何か。

清水康弘　ワシントンの在米大使館で書記官をしていた後に、多くの企業から誘われた。一般論として言えば、１９８０年代は優秀な人材が官僚にも多かったのではないか。私は東大に入ったときに、能力のある人間は社会に貢献すべきだという「ノブレス・オブリジェ」の気持ちが強かった。誇りを持って環境庁に奉職し、社会的に意味があり、個人的にも非常に興味が持てる仕事を続けることができたことは、官僚を続けて最もよかった点だ。

島崎　霞が関に優秀な人材が集まらなくなったのは、官が政の下請け機関と化し、官僚が政策形成に関与し、国家・国民のために貢献しているという誇りを持てなくなっているからだろう。政策課題が高度化・複雑化するなかで優秀なテクノクラートの存在は不可欠だ。国家公務員の適正な能力評価や長時間労働の是正が議論されているが、それだけでなく政と官の望ましいあり方という基本問題について再考すべきではないか。

清水　確かに１９９０年以降、大蔵省をはじめ多くの官庁で不祥事が起き、官僚の地位も地に落ちているので、現在では優秀な人材はまずは民間に流れるのではないかと思う。民間もその活動を通じて社会に貢献できるが、やはり日本社会では中央省庁の役割は引き続き重要だ。官僚の人材の質の低下で、日本社会全体の機能が落ちることを心配している。

平川　清水さんは安倍官邸に身を置き、政権を支えた。森友学園問題に当たっての財務省の対応をどう見ているか。

清水　2006年に第1次安倍政権が誕生したときに、安倍官邸のスタッフが公募され、私も広報担当の内閣参事官として官邸で勤務することになった。第1次安倍政権はジェットコースターのような政権で、中国との緊張緩和やクールアースのような温暖化対策も打ち出したが、「消えた年金問題」、松岡利勝農相の自殺などの大きな事件が起き、最後には1年足らずで、安倍総理が病気退陣することになった。

平川　それから6年間、毎年のように首相が交代した。後半の3年は民主党政権になり、官僚もきのうまでよかったことが急にダメになるなど、混乱を経験したのではないか。人生設計が狂った官僚も多かったと思う。

清水　当時の失敗と経験を安倍総理と周辺スタッフは忘れなかったのだと思う。この経験を元に政権運営をしたため、第2次安倍政権は強い基盤を持つ長期政権になったのだと考えている。強力な政権ができたことが、逆に、官僚に過度の官邸依存を生んだのだと思う。

デスク　実際にこのときに官僚の人生観や仕事観はどう変わったのか。

清水　内閣人事局の設置によって官僚が官邸のほうばかり見るようになったとよく言われている。しかし、私は昔に比べて、官僚の覚悟というか、身の処し方に関する哲学が変わってきたのではないかと思う。

デスク　例えば。

清水　昔の話だが、1990年代にある案件で、環境省の局長と一緒に官邸の事務方のトップの官房副長官を訪ねたことがある。官房副長官が局長に「この案件がうまくいかなかったら、一緒に腹を切ろう」と発言したことを側で聞いていて、衝撃を受けた。役人にできる最高で最後の抵抗は辞職だ。「この仕事に役人人生をかける。大臣であろうが総理であろうが筋は通す。筋が通らない場合は自分も辞めるが、自分を辞めさせた相手も無傷ではすまないのは覚悟して臨んでこい」。そんな覚悟のある役

(図表4) 国家公務員は不人気？

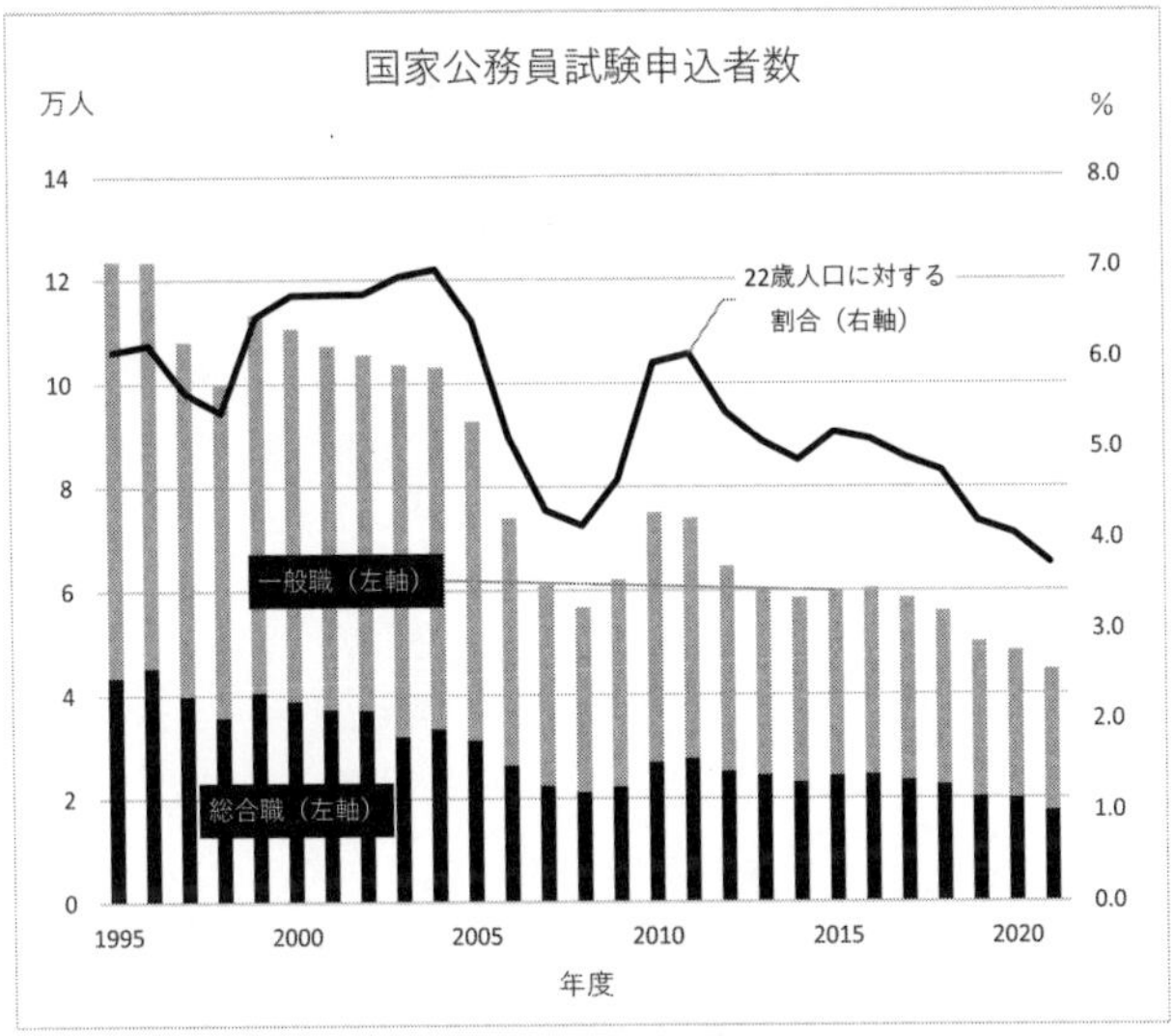

(出所) 人事院ホームページの資料をもとに筆者作成

人道が昔は存在した。このときの役人の覚悟に比べると、森友学園に関する財務省の対応には失望した。私が言うのは理想論かもしれないが。

金原　経団連事務局で官僚の人たちとよく経済財政政策面での仕事をしてきた経験からいうと、官僚の質が落ちていると特に感じたことはない。経団連事務局もしばしば官僚ならぬ民僚と揶揄されるが、そのスタッフの一員としておよそ40年間にわたり、実に多くの中央官庁の人たちと接してきた。政策面ではときに連携し、ときに対立もした。入省数年の若手キャリアや経験豊富なベテランのノンキャリア（専門職）の人ともさまざまな政策議論をし、彼らから実に多くのことを学んできた。局長や審議官、課長クラスの超エリート幹部との親交を深める機会も少なくなかった。付き合いの濃淡はあるが、交換した名刺の枚数は優に２０００枚を超える。

平川　でも国家公務員総合職試験の受験者、つまり、キャリア官僚を目指す人は年々減っている。やはり質の低下は避けられないのでは。

金原　繰り返すけど、私の実感では少なくとも官僚個々人の能力や資質が低下していると感じたことはない。ただ、私が社会人駆け出しのころの官僚と比べ、「われわれ（官僚）が国をしょって立っているのだ」といった気負いとかある種の傲慢さを感じるタイプの人は、あまり見かけなくなったような気がする。他方、官僚が組織として効率的、効果的に機能しているかどうかについてはさまざまな議論がある。ただそれは基本的にはガバナンスの問題であり、個々人の能力うんぬんとは別の角度から検証すべきだと思う。

前田　高い志を持って頑張っている官僚も多いと思うが、官僚の仕事ぶりに対する国民からの見え方が最悪だ。難関の国家公務員総合職試験に合格した有能な人たちだから、何か失策や不祥事があれば、マスコミは叩く。官僚主導国家もよくないと思うが、政治家にあごで使われているだけという印象もよくない。高い規律を保ち、「さすがだ」と感じさせるようないい仕事を積み重ねるに限るのではないか。

金原　「最近の官僚は質が落ちた」的なことをしたり顔に語る一部の評論家や官僚ＯＢ諸氏のほうに認識のズレがあるのではないか。何か勘違いしていないか。ひたすら欧米先進国へのキャッチアップを目指すかつての途上国型経済発展モデルでは、国家の基幹政策をすべて仕切る強力でオールマイティーのような官僚組織が有効だったかもしれない。日本が実際にそうだったかどうかは別として、国内人材のベスト・アンド・ブライテストが中央政府に結集することに正当性があったかもしれない。だが、日本はとっくの昔にその段階は終了している。今さら、明治維新のころの官主導による富国強兵でもあるまい。

組織のあり方に課題

デスク　時代が変わったのに、旧態依然の仕事ぶりを求めるほうがいけないということか。

平川　官僚もまた、終身雇用・年功序列ではなく、短期のポスト任用を増やすべきではないか。上司に恵まれなければ出世も昇給もおぼつかないのが終身雇用制の悪い面だけれど、官僚は政治家に逆らうと出世できず、定年後の就職も含めて年収が下がってしまう。官僚が官庁、企業、大学、研究所などを行ったり来たりできる制度がいい。そうすれば、不条理な命令に従わず、堂々と辞めることができる。内部告発もできる。

金原　キャリア公務員の省庁別採用制度と終身雇用を前提とした完全内部登用制度を変えない限り、縦割りや権限争いの弊害は解消できないというのが私の見立てだ。最近では一部で民間登用制度も導入されているが、組織の中枢のポストは全く適用外だ。霞が関の主要官庁の最高幹部クラスで外部の民間部門出身者はどれだけいるだろうか。例えば、経団連時代に特に接触が多かった外務、経済産業、財務、国土交通などの本省の事務次官、局長クラスで生え抜きではない外部民間出身者は私が知る限り、20年、30年遡っても、おそらく皆無だ。大規模な組織が何十年間もすべて内部登用でいっさい外部の血を入れないとどうなるのか。多くの場合、組織の使命や外部（ステークホルダー）への貢献よりも内部論理、内部利益最優先に陥り、機能組織というより共同体社会と化してしまう。民間部門の場合には、そうなってしまったら自ら改革しない限り、最終的には市場の中で裁きを受けるが、官の組織にはそれがない。

前田　自分の勤務先を就職先として志望する若い人がだんだん減っていくのは、非常にさびしい。現職の官僚は自分の仕事が否定されているようで、落ち込むのではないか。官僚がいい仕事をして歴史に名前を刻む、それが後進の目標になるという好循環が必要だ。

平川　官僚は仕事に名前を刻むべきではない、裏方だと思う。いい仕事には、政治家の名前を入れればいい。悪い結果を出せば、自分の責任を認めて辞任すればいい。官僚というのは、そういう仕事であるべきだと思う。

前田　ただ、今に始まったことではないと思うが、例えばある製薬大手は以前、官僚の天下りを大量に受け入れていたころには、ライバル会社が首をかしげるぐらい、新薬、それもさほど画期的でもない薬が優先的に認可されていたのに、トップが外国人に代わり、天下りの受け入れをやめると、「優遇措置」はすっかり消えたという。金融行政でも役人ＯＢが多く働いている会社への気の使いぶりは普通ではない。法律に触れないように上手にやっているのだろうけれども、官僚が自分の首を自分で絞めているのではないか。

金原　むろん、官僚が無能で怠惰だったり、腐敗したりしていては国家運営が危うい。諸外国（特に新興国、途上国）の政府組織には、そうしたケースが少なからず観察されるが、幸い、日本の官僚は十分有能で責任感の強い人たちが多いし、概してクリーンで汚職なども少ない。問題があるとしたら、個々人の資質ではなく、組織のあり方だ。縦割り行政や省庁間権限争いは日本に限ったことではないが、日本の場合、各省庁が機能組織である以上に一種の共同体なので、それが特に根深く深刻だ。かつて「大蔵一家」という言葉をよく耳にしたが、財務省に名称変更しても本質はさほど変わっていないのではないか。他の有力省庁も一家意識は似たり寄ったりのようだ。

前田　かつては日本経済の力強い成長が世界に注目されていて、それを支える政策も世界中から関心を集めた。官僚も国際会議などに出て胸を張って説明できる場面が多かったのではないか。官僚の仕事のやりがいであり、醍醐味だったと思う。日本の低成長が続いているせいか、多分今はそんなプレゼンテーションを求められる機会も減っていて、やりがいと仕事の質との悪循環が起きているようにも感じる。

金原　成熟した先進諸国のなかで、日本は市民社会（シビルソサエティー）の発展が遅れているとの批判がしばしば海外から聞こえる。非政府組織（ＮＰＯ、ＮＧＯ）の世界に友人の多い私は、そうした批判は欧米的価値観に基づく上から目線の偏向した評価だと感じる。ただし、他の成熟した先進諸国と比べると、社会の隅々まで行政が仕切り、過剰に関与していることが、そうした海外からの評価を受ける一因であることは否めない。

前田　非政府組織は官僚組織よりも目的意識が明確な分、重要な役割を効率的に果たせそうだ。

金原　日本にも最近ではさまざまな分野で国内外の公（パブリック）のニーズの一端を民として担う非政府組織が育ちつつある。私自身もファウンダーのひとりとして設立に関与した国際緊急人道支援組織のジャパン・プラットフォーム（ＪＰＦ）が、その代表例だ。ＪＰＦには国内の40以上の国際協力型ＮＧＯが加盟している。２０００年の発足以来、これまでに50以上の国・地域で総額６００億円超、１５００件以上の事業を展開している。国連難民高等弁務官事務所（ＵＮＨＣＲ）からも高い信頼と評価を得ている。公イコールすべて官という発想では、健全な市民社会は発達しない。

第2章　企業はどうなる

日本企業の課題

埋め込まれるDNA

前田昌孝　２０１１年10月に米アップルの創業経営者のスティーブ・ジョブズ氏がすい臓がんに斃れ、帰らぬ人になった。当時、「アップルは終わった」とささやかれたが、株価はその後10年、上昇し続け、時価総額は2兆ドルを超えた。ＧＡＦＡＭ（グーグル、アップル、フェイスブック、アマゾン・ドット・コム、マイクロソフト）のうち、フェイスブック以外は過去10年以内に創業経営者が引退したが、株価は上がり続けている。創業精神がＤＮＡとして組織に埋め込まれ、次の経営者も組織の理念を生かすべく経営をしているからだと思う。

平川幸子　新宅さんは２０１７年のテルモの社長を退いた後、日本企業の問題点をいろいろと主張している。少なくともここは改めなければいけないと感じていることはあるか。

（図表 5）創業経営者の DNA

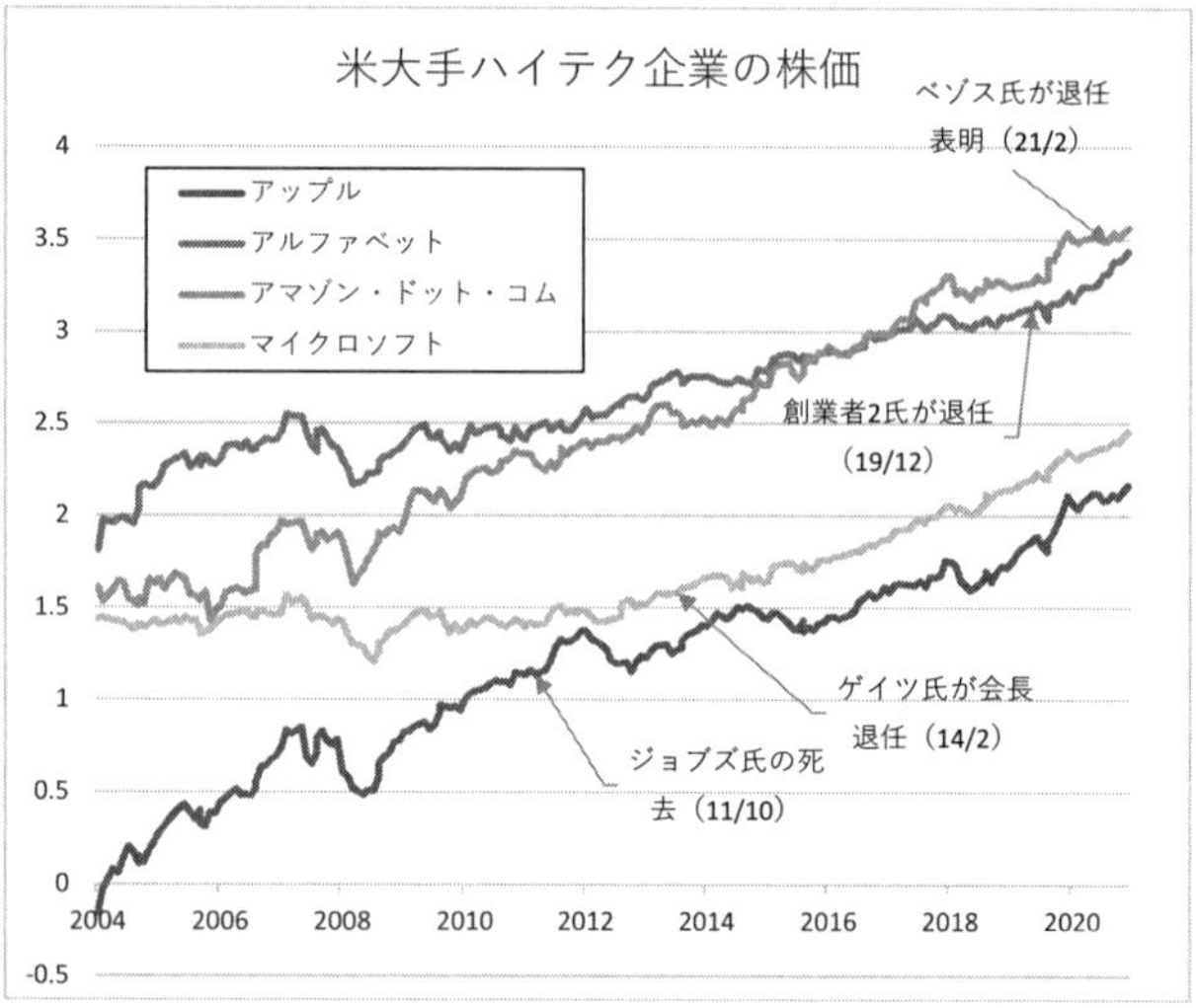

（注）縦軸は対数目盛
（出所）各種報道をもとに筆者作成

新宅祐太郎　まずはガバナンスのような重要事項でも、仕事の分担、窓口の一本化ができていない会社がある。取締役会と委員会のスケジュールがばらばらなうえに、二転三転してしまう。些細な点に見えるけど、こんな会社は一般業務も同様のところが多く、業績も冴えない。社長が成長できる組織を作ってない。デジタルトランスフォーメーション（DX）といっても、混乱した組織ではできるわけがない。ジョブ型雇用もできないので、スキルレベルも低い。きちんとできている会社は、社員のスキルも高く、仕事も効率的で業績も伸びる。外資、日本企業に共通して言えるから面白い。

前田　社内体制をしっかり整えるなどというのは、よほど努力して目に見えた成果でも出さない限り、メディアもなかなか注目しないから、ある意味、短距離走を迫られる経営トップには、やろうというインセンティブがないのでは。それにしても、他社の優れた点に学ぼうとしない企業が多すぎる気がする。

新宅　本物の社長でなければ、本物の戦略は策定、実践できない。今は指名委員会を置く企業も多く、社長選考プロセスが形式化されているが、これじゃあ本物の社長は減っていくよな、と思っている。自分が指名委員会の委員長を務めている会社もあるが、社長には意中の後継者を持っていてほしいと思うし、それをできるだけ尊重したいと思う。後継者を育成できずに、指名委員会やコンサルティング会社に丸投げするような会社は考えものだし、将来性は乏しいのではないか。

平川　一橋大学で教鞭をとっている江川さんは、あちこちで社外取締役を務めているね。どう思う。

江川雅子　ガバナンスの問題を考えれば考えるほど、最後は社長のインテグリティー（誠実さ、高潔さ）だと感じる。だから、インテグリティーのある社長が真剣に考えて選んだ人材がベストだと私も思う。東京大学で執行（理事）、監督（経営協議会、総長選考会議）、総長候補の三つの立場を経験して、外部者による選考の難しさを感じた。指名委員会では社長の意見をよく聞くように心掛けている。

前田　日本では上場会社など大企業の形態として、従来型の監査役会設置会社のほかに、米国流の指名委員会等設置会社と、折衷案の監査等委員会設置会社が認められているが、法的に指名委員会の設置が義務付けられているのは、米国流の形態を取り入れたところだけだ。ところが、他の形態でも任意で指名委員会を置くところが相次いでいて、東京証券取引所の調べでは、東証1部上場企業の58％が指名委員会を設けている（２０２０年の実績）。ますます本物の社長は選ばれにくくなるのでは。

（図表6）増える指名・報酬委員会

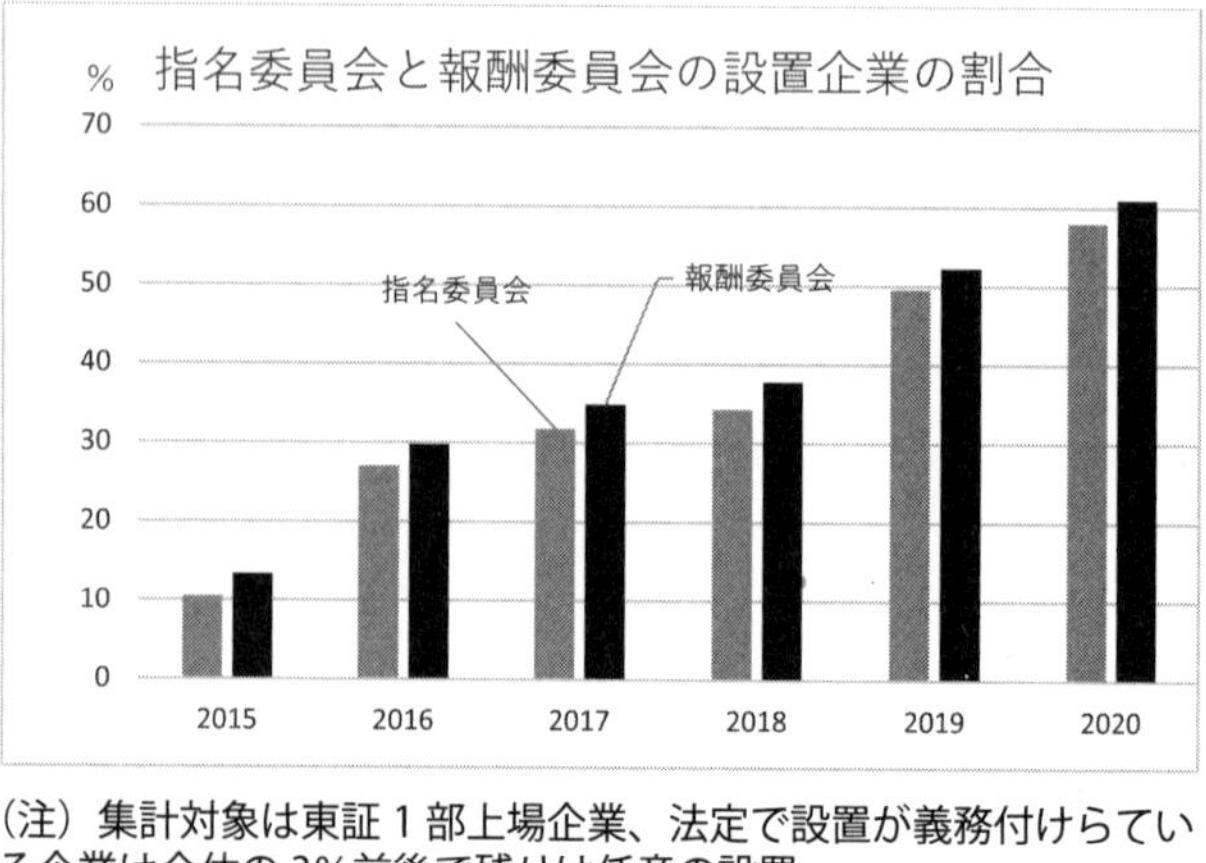

（注）集計対象は東証１部上場企業、法定で設置が義務付けらている企業は全体の3%前後で残りは任意の設置
（出所）東京証券取引所ホームページのデータをもとにグラフ化

江川　でも、トップの選考に外部の目を入れるべきだという流れになったのは、従来のやり方では社内のポリティクス、自分の言うことをよく聞いてくれる部下を選ぶ、などによって、ベストの人材が選ばれないことがあるからだと思う。プロセスの透明性、公正性を担保して、ベストな人材が選ばれるようにするのが指名委員会の役割だと考えている。

社外取締役への期待

前田　指名委員会の委員を務める社外取締役は月1～2回、会議に出席するだけなのに、年1000万円を超える報酬を受け取っている人が多い。社長が選んだ後任者を審査してお墨付きを与えるだけならば、高額すぎるのでは。当該企業のトップにふさわしい人を世界から連れてくるような仕事ならば、高額報酬もわかるけれども。ただ、日本企業にプロ経営者がなじむかどうかという別の問題もある。

江川　業績も順調で社長も立派な人ならば、社長の選んだ後継者でいいけれど、そうでないときもある。私は経験がないけれど、不祥事や業績悪化で社長交代にかかわった人の話を聞くと、毎日会議や電話・メールのやり取りで大変だったそうだ。それに、この数年間に社外取締役が会社のために使う時間は大幅に増えて、月に1～2回の会議に出席するだけでは務まらない。委員会が増えたばかりでなく、社外取締役だけで議論したり勉強会をしたり、経営陣と一緒にオフサイトで泊まりがけの議論をしたりすることもある。会社への理解を深めるために、工場や営業所、研究所を訪ねたり、社内の会議・研修に参加したり、現場の人たちと意見交換する機会も増えている。

前田　日本人は仕事を作るのが上手だからね。もっとも1958年に「仕事の量は、完成のために与えられた時間をすべて満たすまで膨張する」という法則を唱えたシリル・ノースコート・パーキンソン氏は英国の学者だから、日本に限ったことではないだろうが。企業から見ると、社外取締役に応対するために、せっかく雇った有能な従業員を充てなければならないマイナスもある。これを上回る価値を提供できるのか。報酬も年俸ではなく、出席・出社1回当たり3万円でいいのではないか。

江川　法的責任は社内取締役と同じなので、時間給の考え方はなじまないのではないか。社外取締役が過半数を占める指名委員会も、以前は執行側の案を確認・承認するという感じだったが、最近は実質的な議論が増えている。指名委員会が深く関与して次期トップを選考するときには、外部コンサルタントなどに客観的な評価を依頼することがある。複数のコンサルタントによる数時間のインタビューに基づいたレポートで、社長や社内の人が気づかなかったその人の側面が浮き彫りになることもある。社長さんが「ずっと同じ会社で一緒に仕事をしてきたからといって、各人をしっかり評価できているとは限らない」とおっしゃっていたこともあった。指名委員会は社長の意思決定を制約するというより、意思決定の質を高め、透明性を担保するものだと考えることもできるのではないか。

前田　企業経営はアートなのかサイエンスなのかみたいな話だ。でも第2節にグラフを載せたが、バブルの頂点の1989年末に投資して、直近の元利合計（税引き前配当金を再投資した場合の現時点の資産額）が大きく膨らんだ企業のベストテンをいうと、ニトリホールディングス、日本電産、キーエンス、HOYA、東京エレクトロン、ユニ・チャーム、ピジョン、シマノ、村田製作所、ディスコの順になる。経営はアートのような気がするけど。もしサイエンスならば、早く人工知能（AI）が取って代わって、企業統治のコストを下げてほしい。

江川　指名委員会のもう一つの大きな役割はサクセッションプランニング（後継者育成計画）だ。次のトップ候補の議論ばかりでなく、次の次、さらに次の候補をどのように育成するかという議論に多くの時間を費やしている。その結果、優秀な人材を早期に選抜して育成する会社が増えてきたように思う。ただし、人材プールは常に見直し、入れ替えている。

前田　日本は米国流資本主義をほぼ無批判に導入してきた。その過程で日本的経営のよさが失われていったのかもしれない。最近、何かが違うという思いをすることが多い。立派な企業がある一方で、任期はしょせん4～5年と考え、問題を先送りし、報酬だけはいただこうという経営陣が増えている気がしてならない。「年俸1億円」は欧米の水準に比べれば低いけれども、2010年3月期に情報公開が始まってか

（図表7）報酬1億円以上の役員

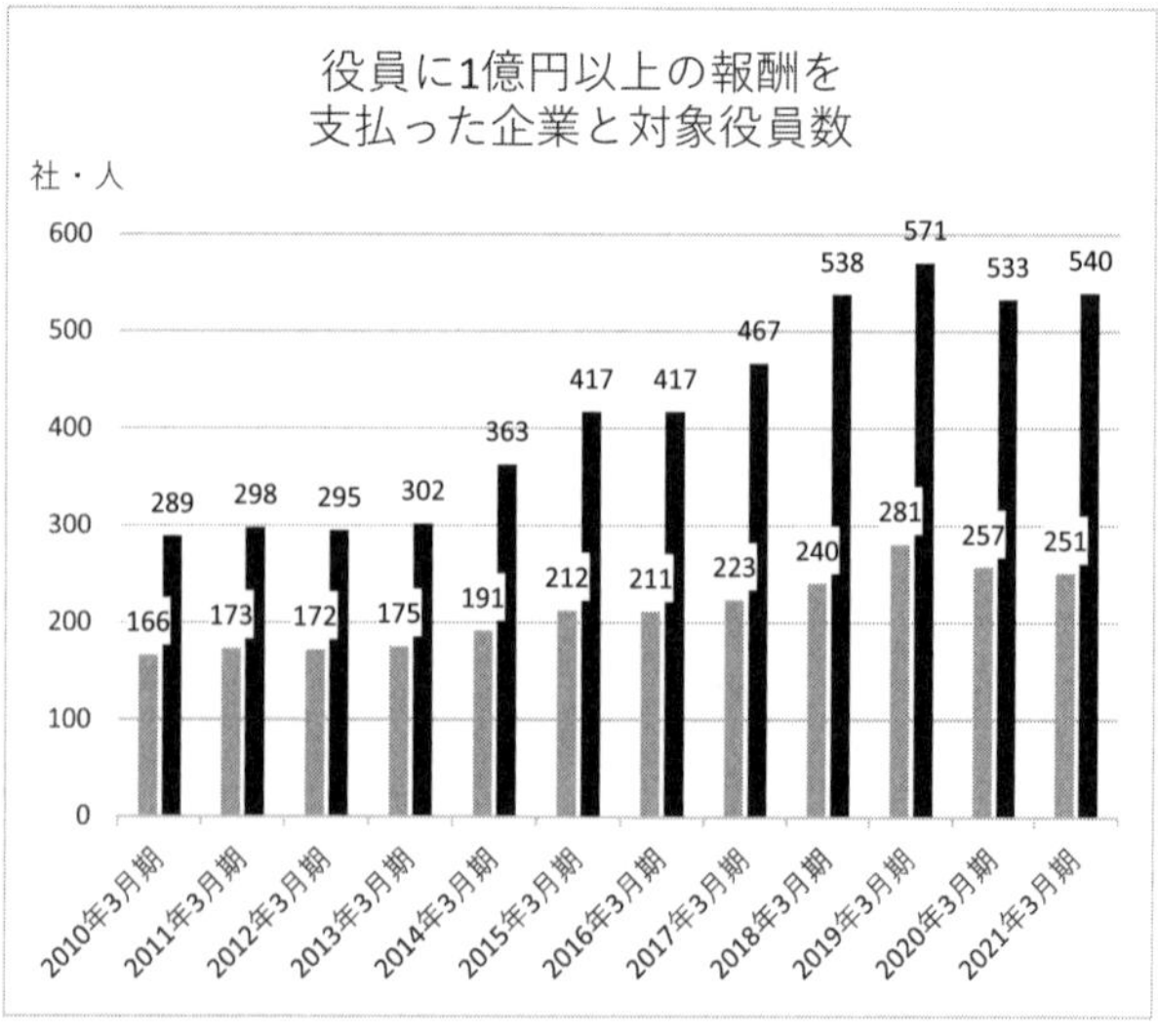

（注）３月期決算会社のみ
（出所）東京商工リサーチの公表資料をもとにグラフ化

ら、受け取る人がかなり増えた。自社株買いをして株価を上げてちゃっかり株価連動報酬をいただこうという感じだ。

平川　そういう経営陣を排するのに手腕を発揮してくれれば、社外取締役もいい仕事をしているといわれると思う。

日本企業の可能性

変化への触媒

平川　平沼さんは野村グループで日本の産業構造を変える触媒のような仕事をずっとしてきたが、判断に迷う企業経営者の背中を押す決め技のようなものはあるのか。

平沼亮　背中を押しているのではなく、社長から私に相談に来ているのが実情だ。２００２年９月27日に、川崎製鉄とＮＫＫが経営統合してＪＦＥスチールができた。私が川崎製鉄の江本寛治社長の訪問を受けたのは1995年5月25日だった。鉄鋼従業員を3万人から9000人に減らして効率を高め、労働生産性を目標水準まで高めたいというのが、JFE統合の動機だ。ただ、会社の歴史に違いがあり、江本社長からNKKに統合提案ができない。そこを、社会評価の高い野村総合研究所に助けてほしいということだった。足掛け5年の努力をし、1999年8月24日に社長合意に達した。

平川　40年間、さまざまな企業の栄枯盛衰を見てきたと思うが、栄える分野と衰える分野、大きくなる企業と倒れる企業の差は、どこにあるのか。

平沼　時代を動かす技術開発への執念だろうね。大同特殊鋼のプラスチック金型のNAK80がなければ、大型の液晶テレビの枠が作れない。一世代前のNAK55の開発は1960年代のことになる。日本の自動車鋼板が優れているのは、通常の鋼の炭素濃度が0・2%にとどまるのに対して、0・002%の極低炭素の清浄鋼を生産しているためだ。2050年に向けて二酸化炭素を中立（カーボンニュートラル）にするためには、日本の14%の二酸化炭素を排出する高炉法から製法を転換する必要がある。試算をすると、技術開発に7兆円以上かかる。

平川　勝又さんは日本興業銀行を振り出しに投資銀行家の道を歩み、官民の組織を舞台に日本企業の再生に努力してきたが、地盤沈下していると言われる日本企業もやりようによっては、まだまだ発展のチャンスがあるのだろうか。

勝又幹英　あると思う。が、まさにやりようによってであって、会社自身の当事者意識、自己変革欲求次第かと思う。再生の可否はミクロ的な個別企業レベルでの努力の問題であり、地盤沈下はその企業の属する産業全体のグローバルな相対的競争力の低下、ひいては経済立国日本としての対外的な付加価値創出能力の相対的低下、と言い換えることができる。

前田　株価で企業を区分けしていいかどうかわからないが、日本の株式相場は１９８９年末のピークを30年以上すぎても、まだ回復できない。個別企業を見ると、１９８９年末に投資をしたとして、63％の企業は配当を加えてもまだ元本割れだ。しかし、37％の企業はプラスリターンになっている。業種ごとにどうこうというよりも、企業によっての差が大きい。

勝又　企業の価値創造のための要素を、「何らかの製品・サービスを市場に提供することにより付加

（図表８）６割強は元本割れ

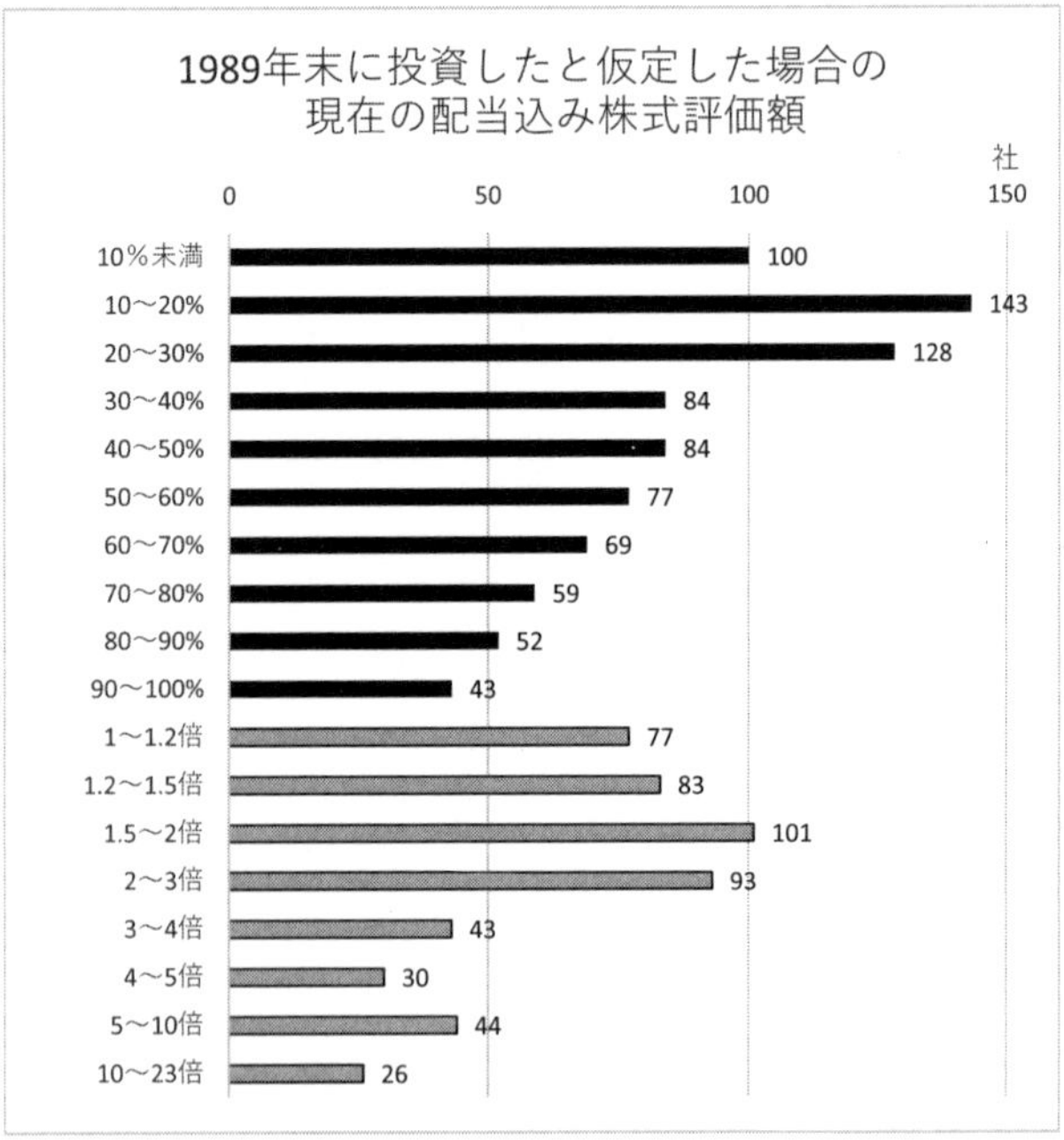

（注）2021 年 7 月末現在。対象は 1989 年末に上場していた 1336 銘柄。税引き前配当を再投資しながら、保有し続けたと仮定
（出所）QUICK 月次収益率をもとに筆者試算

価値を提供するというプロフィットセンターとしてのエンジンの部分」「その製品・サービスを提供するオペレーション」「それらを回していく経営力」の三つに分解するとしてみよう。さらに、再生モードになったのは業務的課題と財務的課題のどちらが主要因なのかによっても、再生の糸口は変わってくる。ただ、これはゼロイチの判断というよりは、ほとんどの場合、業績の低下が財務的困窮を招

くという複合的な要因になっている。

平川　まずは業務的課題をどう乗り越えるかが重要なのか。

勝又　すべてをスクラッチから構築していくスタートアップ（ベンチャー企業）と比べると、企業再生の場合はすでに基本的な業務要素を備えている。だが、価値創造の第1の要素である付加価値要素は、市場環境や競合他社との関係で、相対的に低下している恐れがある。その状況を客観的に分析・判断し、一企業の努力で存続可能な最低限の収益が再確保できるかどうか（キュアラブルな課題なのか）が、再生可能性の有無を判定する出発点だ。

平川　経営環境が急変することもあるので、その見極めも難しいのではないかと感じるが。

勝又　コロナ禍を含む一企業の努力では対応できないレベルの市場環境の変化がある場合は、従来のビジネスモデル上での「再生」は極めて困難だと思う。だが、従来のビジネスモデルの何らかの方向転換によって、新たな付加価値が創造できるかもしれない。価値創造の第2の要素であるオペレーションや、第3の要素である経営力にレバレッジをかけることができないかが、次の検討課題になる可能性もある。

平川　テレビ番組などを見ていても、どこからみても手詰まりでお手上げに近い企業が、何らかのきっかけを得て復活する姿を紹介していることがある。大半はそのまま廃業しちゃって、再生する例が珍しいから報道しているのだろうけれども、再生のきっかけはその企業がもともと備えていながら、忘れられていた強みであることが多い。

勝又　例えば、汎用性のある製品、サービスであってもロー・コスト・オペレーターとしての活路はないか、そのために必要な血を流す決断ができるのか、さらにはそのためには同業他社間の合従連衡の現実的な可能性はあるか。こういったことが聖域なき再生選択肢のなかでどこまで当事者意識を持って検討できるのか、あるいは実際に検討しているのかがカギを握る。いつまでも「ゆでガエル」のままでいいのかどうかは詰まるところ、経営力、経営判断能力次第なのではないだろうか。

前田　このままではダメになるという危機感が次の一手に動くきっかけだと思うが、上場企業の場合は最近、アクティビスト（もの言う株主）がいろいろと圧力をかけて事業に変革を迫ることがある。勝又さんが取り組まれていた企業再生も、ファンドとして企業経営に関与していくことだが、どんな違いがあるのか。

勝又　アクティビストの定義にもよるが、例えば、アクティビストを「上場会社に対して一定の株主発言権を確保できるだけの株式投資をし、経営陣に何をすべきか、すべきではないかの注文を付けることを通じて比較的短期間に株価の向上を図り、株式の値上がり益を享受する投資家」としてみよう。この定義の場合、「株価の向上」は「企業価値の上昇を源泉とする株式価値の増加」とは本質的な意味合いが違う。一時的な株価の値上がりだけを追求するのならば、相対的に競争力の高いコアビジネスの売却計画の公表、自社株買いなど短期的な方策を求めることもあろう。これがいいかどうかは何とも言えない。

前田　実際、２００５年に阪神電気鉄道の株式を大量に買い集めた村上ファンドは、阪神タイガースの上場を提案したり、京阪電気鉄道との統合を模索したりした。米国の名うてのアクティビスト、サード・ポイントもソニーグループに対して映画事業や半導体事業の分離・上場などを求め、経営陣は対応に苦慮していた。一方、オリンパスのようにアクティビストの声を上手に経営に生かしているところもある。

勝又　望むらくは、その発言権を活用して、収益貢献度の低いノンコアビジネスの売却による資本効率の改善、企業の合併・買収（M&A）などを活用した競争力、市場支配力、収益力の向上などの加速、経営力のない経営陣の退陣・入れ替えなどによる企業価値そのものの向上を志向するアクティビストファンドを期待したい。

平川　再生ファンドとすれば、てこ入れすれば再生する企業と、傷を大きくする前に撤退したほうがいい企業はどう見分けるのか。

勝又　簡単に見分けることはできないが、一企業の企業努力、または再生ファンドの資金力、経営指南力でてこ入れができる蓋然性があるのかどうかが最初の分岐点となると思う。その意味では再生オペが必要となった原因がはっきりしている場合は、相対的に再生できる可能性が大きい。例えば設備投資のための借り入れ過多、オーナー系経営陣による会社価値の簒奪などのケースは対処しやすい。

問題点が明確で、すでに法的再生手続きに入っている、または入ることもやむなしと腹を決めている場合も有望だと思う。

平川　難しいケースは。

勝又　再生要因が産業構造の変革や、革新的技術、ビジネスモデルの変化によるもので、てこ入れのための投資をしても、1～2年のうちに採算が改善する目途が立ちそうにないと判断される場合は、ファンドとしては手を出すべきではないという結論になる。大企業が再生スポンサーとして名乗りを上げる場合は、再生企業が単独で収益力を再確保できなくても対処できるので、てこ入れすることが合理的だと判断できるケースもある。

平川　今の仕事では、政治家などから「何とかしてほしい」という希望が寄せられることも多いと思うが、断るのは難しくないか。

勝又　幸い霞が関からの出向者も社内にいるので、直接希望が寄せられることはない。そういった希望が寄せられる場合は、内部の意思決定ではかえってネガティブに働くので、このアプローチは一般的に奏功しないのではないか。

終身雇用制は過去のもの

高度成長期の呪縛

平川　終身雇用制は今後、どうなると思うか。口火を切るのは神津さんかな。

神津里季生　いわゆる終身雇用、正確には「長期安定雇用」だが、この慣行とそれを支える法制度を変更する必要はないと思う。ただでさえ使用者の都合のいいようにできているのが、日本の現状の雇用慣行だから、終身雇用がダメだと言えば言うほど、雇用形態格差の二極化が進む。伝統的な企業の多くは長期安定雇用のメリットを捨てないので、「雇用と生活保障のセーフティーネット」が整備されれば、社会全体での雇用の安定が担保され、この種の議論の無意味さが明確になると思う。

平川　内野さんは厚生労働省の前身の労働省に入省した。一家言ありそうだ。

内野淳子　今までよりは、その制度に乗っかることができる人の割合は縮小するが、制度としては存続するだろう。ただ、教養学科の同窓生を見ても、大学卒業後に就職した企業で定年を迎えた人の割合はかなり少なそうだ。自ら別の道を選んだ人もいるが、就職時の企業がかたちを変えてしまったケースもある。雇用制度としては、採用という入口と退職という出口がいろいろなかたちで用意され、どの入口、出口も同じような障壁で、人によって入った時期と出た時期がさまざまなのが望ましいと思う。

平川　日本の制度は「一家のお父さんは正社員で、家族を扶養する」という建前だが、社会の変化によって、一生をパートやアルバイトで過ごす人や中途退職して非正規職に就く人が増えている。非正規労働者を社会の一員として統合するために、何をしたらいいのか。

神津　「一家のお父さんは正社員で、家族を扶養する」というモデルは、たまたま日本の高度成長期にフィットしただけであって、もういい加減にこの呪縛を解かれなければならない。子育て支援は依然として不十分なので、抜本的に強化すべきだ。「雇用と生活保障のセーフティーネット」は、カーボンニュートラルやデジタルトランスフォーメーション（ＤＸ）などに必要な人材育成とセットで取り組む必要がある。性別役割分担を払拭し、働ける人・働きたい人が、ニーズにマッチした働き方で稼ぐことができる社会を構築すべきだ。

内野　正社員の入口である採用が、新規大卒に限定され、それ以外の入口がかなり限定的になっている。それぞれの企業や組織の文化や体系のなかで正社員が育成されるため、途中入社を受け入れにくいシステムになっていることが主因だ。こうした企業や組織の文化や体系を、多様性を受け入れられるように再構築できるかどうかに、今後の企業の命運がかかっているといっても過言ではない。それを後押しする税制、社会保障制度の見直しも必要だ。

平川　私は、終身雇用制には反対だ。制度の恩恵を享受してきたのは大企業、男性、正社員に限られている。東大卒の男子学生はあまり気づかないだろうけれど、終身雇用制はその枠から外れた人の犠牲の上に成り立ってきた。給料は仕事の成果によるべきで、性別や年齢によって変えるのは差別だ。若い人の仕事が評価されない状況では、若者の就労意欲が高まらない。正社員とアルバイトの差が大きいことも、不合理だ。

前田　それはよくわかるが、白地に新しい絵を描くわけではない。終身雇用を前提に生きてきて50歳代になり、仕事以上の給料をもらいながらも、大学生の子どもを2人抱え、そんなに楽な生活をしているわけではない人に、突然、「これからは実力主義。あなたの給料は半分でよろしく」とは言えないのではないか。専業主婦かパート主婦の妻が働けばいいというかもしれないが、簡単ではない。

意識変革が必要

平川　終身雇用制を守る代償だと思うが、日本企業は賃金が低すぎて、世界の有能な人材を集めにくくなっていると聞いたことがある。それでは困る。どこかに突破口はあるか。

神津　日本のさまざまな課題をクリアしていくための最大のカギは「雇用と生活保障のセーフティーネット」の構築だ。今の日本の諸制度は、結果として使用者が労働者を都合のいいように縛っているので、労働者のバーゲニングパワーが効かない。北欧型のセーフティーネットの導入で、失業なき労働移動を常識にすることができれば、より高い賃金支払いへ自分の力を売っていく流れができるだろうし、チャレンジ精神も倍加するだろう。

平川　終身雇用は労働者を甘えさせている面がある。終身雇用制は会社が好きで忠誠心のある人もつくるが、会社というお神輿にぶら下がる人を増やすという負の側面もある。日本経済にも負荷をかけている。正社員の雇用を守ることを最優先にしていたら、企業は冒険ができない。結果として、日本企業の競争力は削がれる。

前田　一方で黒字リストラなども増えていて、企業の従業員から「我が社意識」が薄れているのではないか。大企業の男性大卒正社員に限ってのことだが、終身雇用・年功序列は日本的雇用の最大の特徴だった。ところが、１９９３年にある音響機器メーカーが中間管理職30数人の指名解雇に動き、世の中は騒然となった。高杉良さんの代表作「指名解雇」のモデルだ。終身雇用制を守るのか守らないのかはっきりしないうちに、従業員一人ひとりの人生設計と企業の発展とのベクトルがずれてしまった。

平川　転職を自由化し、転職市場を活発にして、実質的な仕事がないのに高給を取っている人を、人材があればもっと事業を伸ばせる企業に移すことができれば、日本経済はもっと成長すると思う。企業は新しい産業分野や海外への進出にもっと力をいれるべきだ。そのとき、新規事業開拓のために働ける人材は、年齢にかかわらず、能力に応じた高い給与で登用するべきだ。今後は我が社意識でなく、自分はどこに行っても給料分以上の仕事はするというプロ意識のほうが大切だと思う。

前田　今だって転職は自由だ。新天地で専門知識を生かし、より高い給料で働いている人はいくらでもいる。言いたいのは「実質的な仕事がない人に高い給料を払うな」ということか。わかるけど、生身の人間が給料を減らされ、もうあなたの働く場所はないと言われ、すっかり意気消沈したら、半ば心の病になり、「新天地で意欲的に頑張るぞ」なんていう具合に気持ちは切り替えられない。

平川　新宅さんはビジネススクールで教えているそうだが、経営学修士（ＭＢＡ）を取得した学生たちに望むことは何か。新宅さんの教育方針は？

新宅　僕が教えているのは二つあって、一つはほとんどの人が自費で来る社会人ＭＢＡ。もう一つはシニアエグゼクティブで、少なくとも役員になった社長候補者。これは企業派遣だ。教えがいがあるのは圧倒的に社会人MBAだ。みんな自費で来ているから、何かをつかみ取って帰ろうという意欲もある。これからの人生をどうしようかという悩みも伝わってくる。だから、懇切丁寧に教えている。実際に試したことしか教えていないので、意欲のある人には伝わっていると思う。シニアエグゼクティブのほうは、気合いを入れ直してやるという感じ。「君たちそれで社長になって、欧米アジアの社長と渡り合えるの」という具合だ。

前田　終身雇用制がいつどんなかたちで本当に崩れるのかわからないが、もう終身雇用制を前提にした人生はありえないだろう。あとで議論するが、年金制度も危ういから、極端に言えば、死ぬまで通用できるスキルを身に着けて、常に前向きに生きていくしかないと感じる。ただ、病気で倒れたら首が回らなくなるような社会保障制度では困る。しっかりしたセーフティーネットを作ったうえで、努力のしがいがある社会を構築してほしい。

技術革新への期待

生き残る手掛かり

平川　日本はポスト自動車が見えないのがつらい。通商協定交渉などで、やっと農業保護一辺倒を脱却したと思ったら、「中核的利益は自動車だ」なんて。日本は1990年ごろにトロン（TRON）というオペレーティングシステム（OS、基本ソフト）で情報技術（IT）産業の中核を担えるのではないかと期待できるような位置についていた。文部省は学校にトロンベースのコンピューターを大量に導入する計画を立てていた。もちろん、中核は経済産業省だ。しかし、マイクロソフトを擁する米国の強硬な反対にあい、日本は譲り、トロンを中心とする計画を諦めた。

前田　コンピューター科学者の坂村健東京大学名誉教授が発案し、開発を推進してきた基本ソフトだね。ただ、ここで話すべきことではないかもしれないが、どんなことでも国際標準を握るのは、国益を賭けた熾烈な戦いだ。軍事力も乏しく、世界が注目するような価値観を提供できるわけでもなく、国際機関に人材を送れない日本にとっては、ハードルが高かったのではないか。

平川　トロンはその後公開されて、今でも優れたOSという評価を受け、さまざまな分野で使われている。あのときトロン計画を推進していたら、日本はIT産業で世界をリードしていたかもしれない。いや、米国の妨害で、実現できず、今の中国のように、敵視されていたかもしれない。米国でも技術の天才とビジネスの天才は違った。日本は、坂村健という天才を擁し、トロンという技術を持っていても、巨大なIT産業は産めなかった。1995年以降、マイクロソフトに高いお金をはらう都度に、私は腹立たしく感じながら、歴史の偶然と必然を考えていた。

前田　公平に言えば、GAFAM（グーグル、アップル、フェイスブック、アマゾン・ドット・コム、マイクロソフト）などが提供するサービスの価値は、個々の消費者が支払っている費用よりもかなり大きい。野村総合研究所が2019年10月に発表した「デジタル化による消費者余剰」は、日本全体で161兆円にもなるという。平川さんは支払先が米国企業であることが気に入らないのだろうけれども。

平川　小嶋さんは日本のIT企業を渡り歩いてきた。日本のITはもう周回遅れになったように言われることが多いが、もう栄光は完全に過去のものになったのか。

小嶋英二　イエスでもありノーでもある。コロナ禍で露わとなった行政機関を中心とした非効率な業務対応、M&AのPMI（ポースト・マージャー・インテグレーション、買収・合併後の統合プロセス）にすぎないみずほ銀行システム統合のたび重なる迷走とトラブル、気がつけば中国製や台湾製のハードを持って、GAFAMを中心とする海外プラットフォーマーの上で踊るだけの日の丸IT業界と、ユーザー。業界としては完全な敗北、利用者としても二流三流の感が強い。

前田　「アレクサ」と呼びかけて照明やエアコンを付け、「OKグーグル」と呼びかけてテレビのチャンネルを合わせるのが1日の始まり。通勤の電車では新聞の電子版をアップル製のタブレットで読み、ウィンドウズパソコンで仕事をして、会議はズーム。日本製はかろうじて仕事で使うパソコンがパナソニック製であることぐらいかな。

小嶋　GAFAMの研究・開発（R&D）投資額は日本の全民間総投資額1500億ドルを2022年にも抜く勢いであり、逆転はもう難しい。利用者としてはどうか。1990年代から、日米ともにIT化投資額は名目GDPの3～4%前後で推移しており、出費の規模に大きな違いはない。ところが驚くべきことに、ITプロジェクトの成功率（納期、コスト、目標機能達成などで評価）はここ10

（図表９）研究開発費も米中２強に

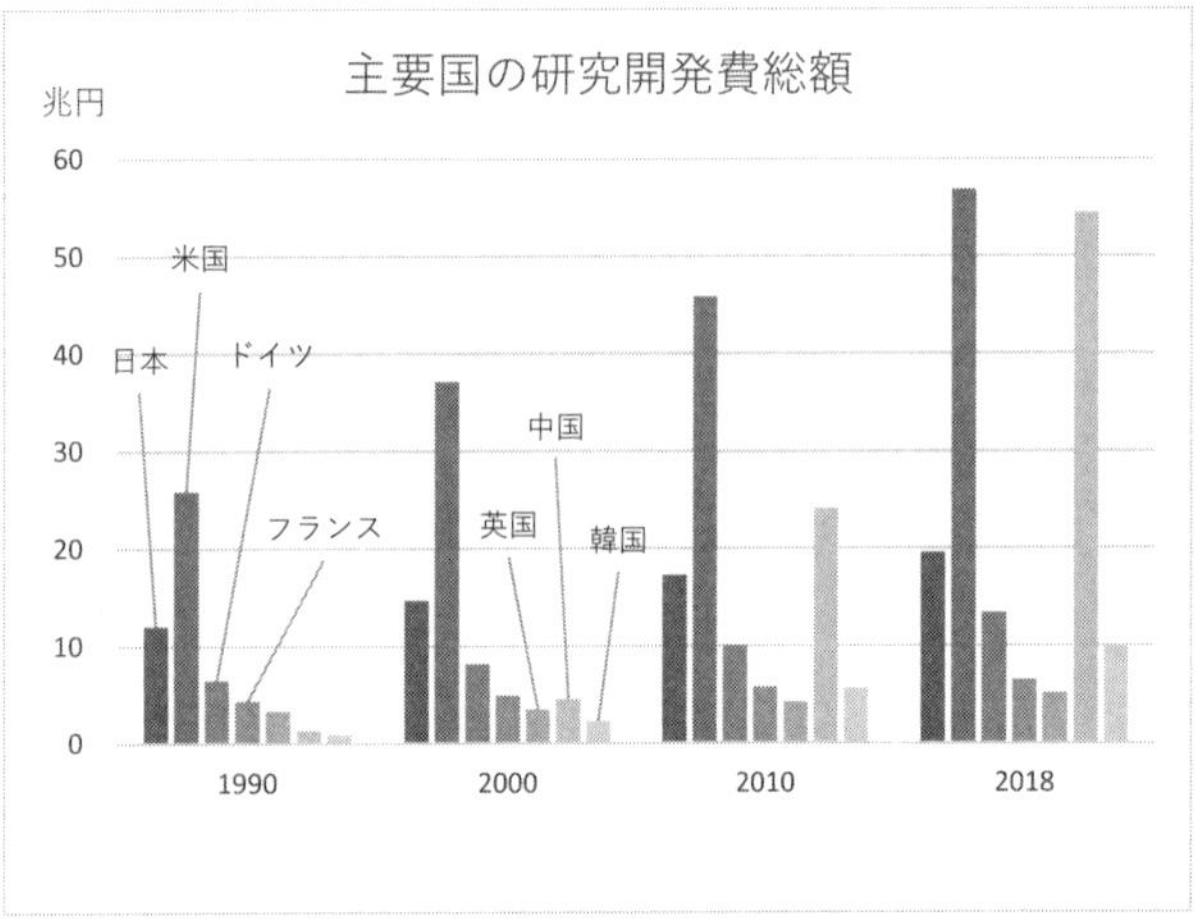

（注）実質額（2015 年基準；OECD 購買力平価換算）
（出所）文部科学省科学技術・学術政策研究所「科学技術指標 2020」

年、米国では30～40％から大きく変化していないが、日本は30％から50％以上に大きく改善している。日本は高い目標を掲げたリスクテイキングなプロジェクトを実施しなくなったからではないかと疑う向きもあるかもしれないが、着実に成果を積み上げてきていることは事実だ。

平川　そこに何か生き残る手掛かりがありそうに感じる。

小嶋　スーパーコンピューターの富岳に象徴されるように、ハードウエアには日本の強みが残っていると思われる。ＩｏＴ（アイ・オー・ティー、モノのインターネット）のセンサーなどの比較的新しい領域も日本は強い。モノ作りの技術、ノウハウ、人材、組織の蓄積はまだまだ厚い。日本発のOSとして期待されたトロンでも、機器制御などをする組み込みソフト系のITRONが生き残ったのは、日本がこの分野に強いからだ。

平川　日本が何かに強いと聞くと、「今は強いけれども早晩、周辺国・地域に追い抜かれるのではないか」と考えるクセがついてしまっている。ともに一生懸命競争していて、それでも差を詰められて追いつかれ、追い越されてしまったというのならば、やむをえない面もあるが、日本がやるべきことをやらないでいるうちに、あっという間に逆転されている印象だ。

小嶋　パソコンがいい例で、世界全体に急速に普及した結果、構成部品の汎用品化が進み、誰でも組み立てられるコモディティーと化していった。結果として、安価な労働力を大量に動員でき、コア部品のスペックが上がったときにいち早く新モデルをリリースできる素早さを持つ企業が優位となり、日米欧の大企業は敗退していった。それでもコモディティー化のトレンドに合致したビジネスモデルを標榜して起業したデルは販売数を伸ばし、今やサーバー大手としても君臨している。先見の明があったと言える。

前田　日本でも信越化学工業などは半導体用のシリコーンや塩化ビニール樹脂で世界市場に君臨している。製品としてのレベルはもちろん高いのだろうけれども、でも塩ビなどは完全にコモディティーではないのか。金川千尋会長に取材したことがあるが、「どこよりも深く世界の市場を理解していることが強みだ」という趣旨の話をしていた。

小嶋　マーケットを先読みできて、素早く対応もしたから、先頭を走り続けているということか。日本電産なども同じ強みがありそうだが、パソコンは違った。先ほどモノ作りには強みがあると言ったが、コモディティー化が避けられないもの、例えばＩｏＴデバイスやコンポーネントなどは他のアジアの国や地域が市場を奪っていくだろう。ソフトウエアのプラットフォーム、プロダクト、ソリューションなどの分野では周辺国だけでなく、欧米にもすっかり水をあけられてしまった。

デスク　まだ背中は見えるのではないのか。

小嶋　これらの領域で、世界市場にプレゼンスを認めさせていくことは可能なのか。新商品を生み出し、売り込んでいくためには、発想力、コンセプト汎用化の力、グローバルに周知させる学会・業界・

メディアの発信力、マーケット力（資金、ビジネスチャネル）などが集約される必要があるが、どうみても日本は欧米に及ばない。

平川　小嶋さんは発想力と言っているが、日本人は未だにキャッチアップ・メンタリティー（欧米に追いつき追い越せ精神）から脱却できてないのではないか？

金原主幸　戦後の経済復興期の原動力でもあった日本人特有のキャッチアップ・メンタリティーは、今なお根強く、それが日本の変革の妨げになっている面もある。ひたすら安心、安全を求め、軽微なリスクすら受け入れない国民、大胆な政策転換に踏み切れない政府、思い切ったビジネスモデルの転換を決断できない大企業などが一例だ。官民問わず大きな組織のトップほど強いリーダーシップは疎まれ、ボトムアップに乗っかる調整型のトップが好まれる。眼前に手本があるときは、自ら進むべき方向を考える必要はなく、もっぱら前を走る先導車のテールランプを見失わなければよかった。だから、強いリーダーシップもリスクテイキングも不要だった。このメンタリティーからの脱却は容易ではないが、中等・初等教育の改革がひとつのカギかもしれない。

コンテンツビジネスに可能性

デスク　教育問題は後で議論するとして、小嶋さんは挽回のアイデアを持っているらしい。

小嶋　ＳＮＳ（交流ソフト）によるさまざまなレベルのグローバルコミュニティーの成立によって、英語での発信力さえあれば、以前ほど差は顕著にはならない場合もある。サトシ・ナカモトが本当に日本人かどうかは不明だが、ブロックチェーンが急速に広がったのは、彼の英語が上手なためでもある。投下資金の圧倒的な差はいかんともしがたいが、基礎学力を持った情報系学生を生み出し続ける限り、ときにはヒットを出せるのではないか。

前田　さきほどメディアの発信力不足を指摘する声も出ていた。でも日本に優れたコンテンツがあれば、海外のメディアが報道するはずだ。ハーバード大学のエズラ・ボーゲル教授が「ジャパン・アズ・ナンバーワン」を著した１９７９年当時は、世界のメディアは東京に極東拠点を置き、日本の情報の発掘に力を入れていた。日本のコンテンツの魅力が低下したのではないか。

小嶋　ＩＴ業界には分類されないが、コンピューターハードウエアとソフトウエアで商売しているのがゲーム業界だ。現在日本が世界的に競争力を持つ数少ない業種といえる。漫画とアニメの歴史に培われたコンテンツクリエーション力、量産リソースとノウハウ、厚い消費者層に支えられた競争力は、しばらくの間、この業界を発展させ続けると思う。

平川　でもアニメなどのコンテンツは中国アニメに早晩、追い越されるという見方もある。アニメーターの処遇がぜんぜん違うらしい。

小嶋　確かに、アニメーションやゲームでは中韓の大手が立ち上がってきている。なるほどキャラクターの描き方などを見ると、日本を倣っている感もある。コンテンツのコピーやクリエーターのハントはあるだろう。ただし、業界としてのコアコンピタンスは魅力あるコンテンツを生み出し続けるシステムであって、今いるタレントではない。手塚治虫の『ジャングル大帝』はディズニーが丸ごとコピーし、キャラクターの色だけを変え、『ライオンキング』として世界的に大ヒットさせたが、その後に続々と輩出した漫画家と膨大な作品群を見れば、逆に日本のコンテンツ業界の強さを象徴するエピソードの一つにしか見えない。日本の文化、歴史、職業感があって成り立たせているかなり日本的な業界なのではないか。

前田　だといいのだけれども、私の家に留学生時代からときどき遊びにきていた中国人女性は、私の娘や息子と比べても、目の色が全然違う。いつも「私たちが追い付くまで、日本人は寝ていてください」などと言っている。コンテンツビジネスも同じではないか。

小嶋　日本はビジネスモデルやプラットフォームを標準としてグローバルに押し込んで行くビジネスは不得手だが、グローバルに魅力的と感じてもらえる製品を生み出す力はある。日本の自動車業界が栄えているのも、「製品」の魅力で勝負できる業界だからという見方が可能だ。ゲーム業界に注目するのは、そういった共通点もあるからだ。日本が得意とするコンテンツを入れ込んだ製品、サービス、ソリューションこそ日本のＩＴ産業が強みを発揮していける方向と考える。

前田　でも強みは暗黙知の世界にあり、ノウハウは以心伝心などということでいいのかなあ。いや私が素人だからそう見えるだけで、この分野の第一級の人の目には、すべてが科学的・論理的に映っているのかもしれないけれども。

小嶋　ＬＩＮＥは隣国２国によるプログラミング、サーバーは韓国に設置、スマホ内の連絡者情報は知らないうちに管理者に吸い上げられるなどセキュリティー上、大きな問題を抱えているが、もともとは東日本大震災後にバックアップの連絡手段として日本人が企画したツールだ。スタンプの多様さが魅力で、日本発のＳＮＳとしては珍しく中東を含むアジアでの利用が拡大した。日本はアニメ的コンテンツを絡めた製品に高い可能性を秘めている。現在いくつか出現し始めているデジタルコンテンツ売買のプラットフォームは、日本が優位を築ける分野であり、期待したい。

金融業界は今後どうなる

投資リスクを見抜く力

平川　全産業にわたっての議論は私たちにはとてもできないが、同窓生は官僚を除くと、金融業とマスコミで働いてきた人が多かった。まずは平沼さん、証券業は社会にどんな貢献をしているのか。

平沼　大昔に証券業界で４位だった野村証券を首位に押し上げてくれたのは、１９５３年に千葉１号高炉を建設した川崎製鉄、日本で初めて転換社債を発行した日立金属、販売時点情報管理（POS）システムを追求したセブン&アイだ。まず先に実物経済を発展させる企業があり、証券業は資金調達を支援する。投資リスクを見抜くリサーチ力が大事だと思う。

平川　1980年代のバブル拡大期に、野村証券をはじめとする日本の証券会社は海外進出を試みたようだが、あまり成功しなかった。なぜか。

平沼　証券業はとても地場色の濃い情報産業だ。世界の「金融村」に日本人は入り込めない。期間利益を確保できる外国人を見つけ、雇ってきたが、彼らは株主に含み損失を残して去った。株式の累積損失は2兆円を超えていると思う。経営能力にも落差がある。米国のアップル、マイクロソフト、グーグル、アマゾンなどに日本の証券会社が財務戦略などの提案をするのは容易ではない。ただ、面白いは2008年のリーマン・ショックで生き残ったのは、ゴールドマン・サックスと日本の証券会社だけだったことだ。日本の証券会社は日本の厚い個人金融資産に支えられている。

前田　政府が「貯蓄から投資へ」の旗を振っても、個人マネーはなかなか動かない。証券会社が日本の将来をにらんで、リスクマネーを動員しようとしても、米国のようなわけにはいかないのが実情ではないか。まだできそうなことはあるのか。

平沼　私は野村証券を退職し、早くも66歳になったが、地上資源の循環を80%から100%に引き上げるために努力を傾けたいと思っている。技術進歩に対して、有益な情報を提供できるのならば、証券業は意味のある業界ではないだろうか。

地銀の新たな役割

前田　銀行業はどうなっていくのか。フィンテック（金融技術）の発達で、銀行業自体、構造不況業種になったと言う人もいる。

勝又　かつての銀行のビジネスモデルは、支店網という物理的な資金調達のインフラを備え、給与振り込みなどによるコストゼロの資金を取り込むことによって、融資業務との利ざやを確保することであったと思う。ただ、この仕組みは市場の金利が利ざやを生むほどの一定の水準にあって初めてワークする。この基本的なモデルが当分はワークしないことを前提に、新たな役割を見い出さなければならない。

平川　勝又さんがいた興銀が消えるなんて、実際にみずほの名前で経営統合されるまで考えもしなかった。でも経済成長が見込めなければ、お金を借りようとする人は少ないだろうから、銀行ビジネスは苦しいのかもしれない。

勝又　名案があるわけではないが、例えば地方銀行ならば、担当地域の取引先の企業をビジネスユニットと見なし、決済機能なども提供しながら、自らが地域商社として活動しているところもあると聞いている。中堅・中小企業の事業承継についても積極的に関与する機会を作れるのではないか。大いに期待したい。

前田　人よりも担保の有無を見て融資の可否を決めるビジネスを長く続けてきたようだから、事業性を評価し、さらに企業を将来に導くような仕事は、いくら地方銀行に地元のエリートが勤めているといっても、一朝一夕にはできないのではないか。

（図表 10）地銀株は大幅出遅れ

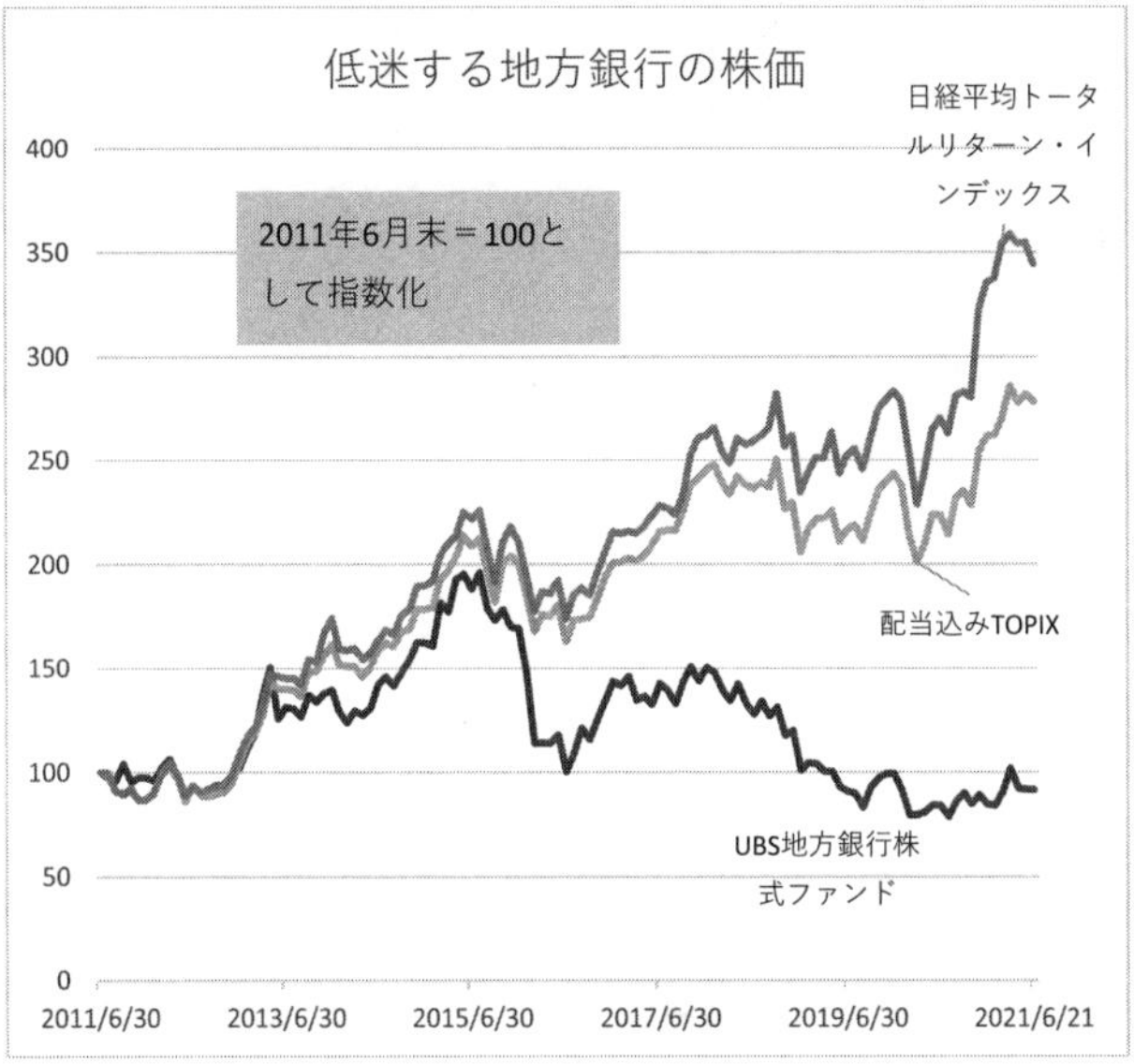

（注）UBS 地方銀行株式ファンドの基準価格は税引き前分配金再投資ベース。ファンドが償還された 2021 年 6 月 21 日までの月間終値の推移をグラフ化
（出所）モーニングスターのデータをもとに筆者作成

勝又　１９８０年代の半ば、当時の興銀がニューヨークのマンハッタンに本社を置くシュローダ銀行という米国の名門地方銀行を買収したことがある。私はその買収先の第１号のサマートレーニーとして、１カ月ほど融資業務を垣間見る機会があった。着任後、「取りあえず貸し出し稟議を見せてほしい」と頼んだところ、出てきた稟議書を見て驚いた。融資案件は、郊外にある家具製造業Ａ社のＥＢＯ（エンプロイー・バイアウト、従業員によるオーナー株式の買い取り）のための融資や、マンハッ

タンに展開するベーカリーチェーンのＭＢＯ（マネジメント・バイアウト、経営陣による株式の買い取り）のための融資だった。

前田　戦前はともかく、戦後の日本では企業買収というと「乗っ取り」のイメージがあって、確かにミネベアの高橋高見社長（１９８７年から会長、１９８９年逝去）などは積極的だったが、経団連の本流の会社からは煙たがられていた。邦銀のビジネスとしても、買収資金の融資などは本当に限られていただろうね。

勝又　しかも、利ざやは日本での中小企業貸し出しのレンジである０・５〜１・０％ではなく、２・５〜３・５％ぐらいをしっかり稼いでいた。オーナーの個人保証を担保に融資するのではなく、貸出先の事業自体を審査したうえでの金融取引だったことや、本来、エクイティ（株価を利用した資金調達）というリスクマネーが担ってもおかしくない部分を、ローンという金融商品で代替していたことなどが新鮮だった。こうして「正当な利ざや」を得ているのかと感心した。

平川　でもそういう金融ビジネスを繰り広げている米国の銀行に、当時の興銀は目を付けたわけだ。

邦銀としては先見の明があったのではないか。

勝又　そもそも興銀がなぜこんな地銀を買収したのか、全く理解できなかったのだが、この稟議書を見てその一端がわかった気がした。と同時に日本はまだ米国に比べて、金融リテラシーという意味では軽く30年は遅れているな、と実感した。

前田　日本の銀行は地銀も含めて、まさにその世界に飛び込んでいかなければならないということだね。それなのに先行きが暗いことを示唆するような話ばかりがあふれていて、明日の銀行業を支える肝心の人材が集まらないのではないか。

勝又　明日の銀行の新しい姿を見せて、優秀な人材を集める。この点は銀行の経営陣に歯を食いしばって頑張ってもらいたいと思う。日本では未公開企業に投資するプライベートエクイティビジネスが根付き始めており、その延長線上で、中堅・中小のＭＢＯやＥＢＯが動きつつある。こうした新しい金融取引の案件を地方銀行などが積極的に創出したり、事業承継を支援したりしていく場面が増えると、面白いことになるのではないか。

メディア産業の現状と課題

活字離れで衰退続く

平川　次は文藝春秋の幹部だった古田さん。出版業はこれからの社会でどのような役割を果たすのか。

古田維　出版市場は1996年に2兆6563億円の総販売金額を記録したのをピークに減少の一途をたどり、2018年には1兆5400億円にまで縮小している。2019年は微増に転じ、さらに2020年には前年比4・8％増の1兆6168億円となったが、上昇に転じた要因は電子出版市場の拡大であり、紙の出版物市場は依然縮小が止まっていない。この20数年の間に書店の数も約半分にまで減少している。

前田　私が長年携わってきた新聞業も似たようなイメージだ。ニュースはインターネットで取れるということで、若い人を中心に紙の新聞を購読しなくなり、部数が減れば広告収入も減るから、縮小均衡を余儀なくされているところが多い。経営資源を電子版に移しているが、危機感を持っていない新聞経営者はいないのではないか。

古田　かつては情報収集や知識・教養の獲得、また余暇の娯楽の手段として、新聞、雑誌、書籍など紙の出版物を読むのが当たり前だった。ところが、メディアや娯楽手段の多様化に伴い、時間をかけて紙上の活字を読むことが敬遠されるようになった。このいわゆる活字離れが長期的な活字媒体衰退の底流にある。

前田　以前は朝の通勤電車のあちこちに新聞を小さく折って読んでいる人がいた。たまに私の書いた記事に目を落としている人もいて、記事の最後まで読んでくれるだろうかとドキドキしたものだ。今は目をつぶっているかスマートフォンだ。それも電子版の記事を読んでいる人は少なく、多くはメールやSNS（交流サイト）に何か書き込んでいるか、ゲー

（図表 11）苦戦する紙媒体

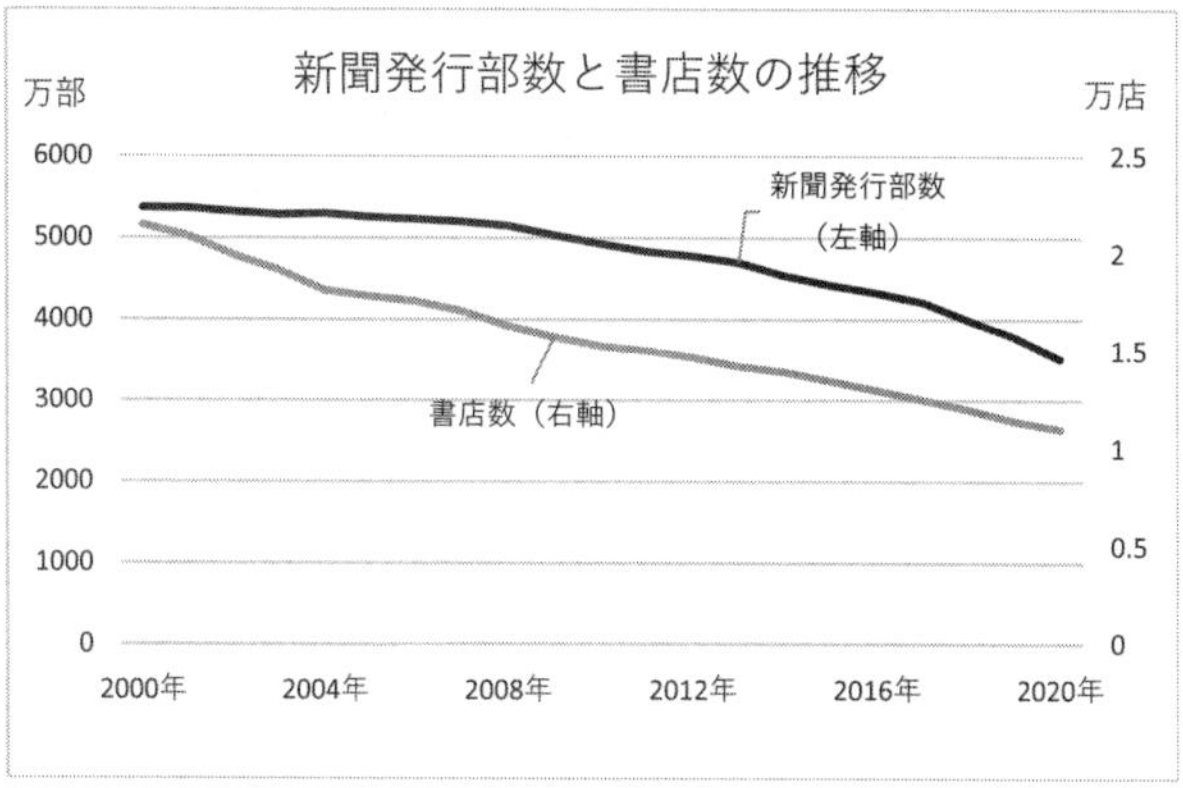

（注）新聞発行部数は各年 10 月現在でスポーツ紙を含む。書店数は5月1日現在
（出所）日本新聞協会とアルメディアのデータをもとにグラフ化

ムをしているかのどちらかだ。

古田　インターネットの発達と携帯電話、スマホの普及によって、読者層の時間とお金がそちらに奪われたと思う。バブル崩壊から金融崩壊、リーマン・ショックに至る日本経済全体の不調に伴う広告の減少も衰退に拍車をかけた。

太田昭子　ちょっと外野の教育現場から。勤務先の大学で学生たちと接していると、確かに新聞離れや雑誌離れは進んでいるようだ。漫画もインターネットで読む時代だし、スマホ一つで得られる情報は、私のようなアナログ人間には想像もつかないほど多いのだろう。特に下宿生では新聞の朝夕刊を定期講読する人の割合は低く、有料の電子版も登録が面倒なようで、あまり読まれていない。

前田　最近は新聞社の入社試験でも、面接官が「普段はどんな新聞を読んでいるの」と尋ねると、「新聞はあまり読んでいません」と答える学生が多いらしい。昔ならば、本当にそんな答えをされたら、試験にパスしなかっただろうが、今はそうも言えなくて。

電子出版に活路はあるか

平川　でも全滅するわけではないのでは。

古田　電子出版市場の拡大は、この趨勢のなかで出版社が必要に迫られて変革を遂げてきた結果だ。電子出版の中心は現状、コミックスだが、講談社、集英社など有力なコミック作品を持つ出版社は電子版コミックスの貢献で業績を伸ばしている。講談社の２０２０年11月期決算では、電子書籍とライツビジネス（著作権・商標権などの販売）の売り上げ合計がすでに紙の出版物の売り上げを上回るところまで構造変革が進んでいる。

前田　新聞業界は「全体が地盤沈下するなかで、この新聞社はすごい」という話はあまり聞かない。でも米国ではニューヨーク・タイムズが伸びているらしい。まだやりようがあるのかな。

古田　電子出版が拡大し始めた当初は、これを性急に進めると紙の売り上げを食ってしまうのではないかという議論もあった。今では紙の売り上げは縮小せざるをえず、生き残るためには電子市場を積極的に開拓しなければならないという認識が一般的だ。なかでも雑誌はより顕著で、総合週刊誌を発行する出版社はいずれも関連のウェブサイトを構築して、紙とネットを連動させて収益の拡大を目指している。もっともネットでの主な収益源は広告料収入だ。記事に課金するのが理想だが、一部経済専門誌を除いて、課金モデルの確立はこれからの課題のようだ。

前田　証券投資の世界では、有力な情報はお金に変えることができるから、情報の希少性や速報性によっては相当高く売ることができるだろうが、一般の新聞や雑誌が伝える情報は市場価値をどう考えていいのかわからない。低廉な価格で販売して国民の知識や教養を広げるのに貢献し、社会を発展させるという役割もあるし。

古田　紙の雑誌や書籍も簡単に消えていくことはないと思う。例えば雑誌を見ると、かつてのような広範な読者を取り戻すことは考えにくいにしても、趣味やサブカルチャーなど特定の分野に特化した雑誌は根強いファンがついている。高齢者層には自宅に届く定期購読誌に確かなニーズがある。大部数は無理でも、特定の読者を囲い込む会員誌化したかたちで生き残っていくのではないか。Y＝1／Xのグラフのように緩やかに減少を続けながらも決してゼロになることはなく、一定の存在感を保ち続けると思う。

前田　電子版を含む新聞に書いたことがＳＮＳなどで大きな議論を呼ぶことがある。いくら誰でもインターネットで自由に情報を発信できる時代になったといっても、私たち新聞記者は新しい動きを発掘することや、新しい角度で議論を始めることに関しては、そう簡単に負けない。１次情報に接近しようという情熱もある。日本経済新聞もひところ３００万部を超えていた朝刊の発行部数は２０２０年末に１９９万部まで減ったけれども、電子版の読者はどんどん増え、有料会員数は２０２１年１月1日時点で76万人になった。

古田　書籍は依然として大ヒットを飛ばすことが可能な分野だ。一時代前には、誰もが一度は読んでおくべき古典、名作の定番作品が一定数売れ、そこにそのときどきの話題作の売り上げが上積みされていた。現在は定番の部分の売り上げがかなり縮小してしまい、全体の売り上げは減ったけれども、特に文芸作品では、作品自体の力や著者の話題性から10万～１００万部単位のベストセラーが生まれることがしばしばある。電子書籍市場も拡大しているが、電子市場で売れているものの多くは紙でヒットした作品だ。コミックではすでに電子の売り上げが紙を上回っているが、「文字もの」ではまだ紙が主であり、電子版は補完的な規模に留まっている。

クレディビリティーを死守

平川　でも、何か新しい役割のようなものがなければ、メディア業界はやはり先細りではないか。3K職場などとも呼ばれているし。

古田　出版社の役割をどう考えればいいのかということだろうけれども、ジャーナリズムの分野においては、クレディビリティー（信頼性）を堅持し、読者の知る権利に応えて、世の中に正しい情報を提供し続けることが、発信者としての使命だと思う。速報性ではネットやテレビにかなわない。しかし、出来事の背景を詳しく解説したり、手間をかけた調査報道によって、まだ知られていない重要な事実を明らかにしたりといった活動のためには、雑誌や書籍は依然として有力なメディアではないか。

前田　新聞社も同じだ。速報性ではネットやテレビにかなわないと言うが、取材陣の数が違うし、専門知識を持った記者も多い。なかなかその域にまで達するのは難しいが、ジャーナリストのなかには、政策当局や専門家からも一目置かれ、「この記者がこの問題についてどんな発言をするのだろうか」と注目されている人もいる。芸能人などがテレビで何か発言することにも影響力があるが、もっと別のかたちで社会に影響力を持つ記者も多い。

平川　私はフェイクニュースの背景を追ったドキュメントを読みたい。インターネット上の探索で、ウクライナの旅客機撃墜はロシアが運び込んだミサイルの仕業だという証拠を示したジャーナリストがいる。トランプ支持メールの多くが、東欧の若者に金を払って書かせたものだったという検証をしたメディアもある。コロナワクチンを打つと不妊になるなどのニュースは、中国やロシアが拡散させている疑いがあるという米国政府の発表があった。このように「うわさの真相」に迫る記事がほしい。若くて才能がある人は、ネット上のニュースの深層に興味を持ち、ネット時代のジャーナリストとして育つのではないか。

古田　紙のメディアに限ったことではないが、ネットの世界でいわゆるフェイクニュースや陰謀論が跋扈する時代にあっては、クレディビリティーこそジャーナリズムが死守すべき存在意義ではないかと思う。ネット上のページビューを増やすことにのみ関心が向けられると、十分な事実の裏付けがなくても人々の耳目を引きやすい記事を掲載したい誘惑が生まれる場合もあるだろうが、それは結局、真っ当な読者の信頼を失い、退場を迫られる道である。

太田　クレディビリティーといえば、ネット上の情報の内容は玉石混交なので、どのように情報を集め、理解するかは大きな課題だと思う。問題意識のある学生は、情報のクレディビリティーを確かめようと試行錯誤するが、安易な受け売りに走る学生も少なくない。

前田　新聞は速報性と正確性の両立に日々、多大な努力を払っている。週刊誌や月刊誌を発行している出版社も、タイムスパンは違うが、似たところがあるだろう。ネットの情報は話題性と速報性が優先され、間違っている情報でももっともらしければ、どんどん広がってしまうことがある。

太田　大学教員も情報の受け手側として、ネット時代ならではの新たな課題を抱えている。学生たちに対し、情報をどう収集して理解、そしゃくするかを伝える方法が問われているのだ。安易なコピー・アンド・ペーストを慎むなどの大前提だけでなく、よりどころとした情報の出典の書き方や、何が剽窃（ひょうせつ）に該当するかなどを詳しく説明する必要性が高まっている。私が学部生だったころにはきちんと学ばなかった話なので、ここは大学教育の改善点の一つかもしれない。
平川　太田さんの発言にある剽窃とは平たく言うと盗用のことだけれども、最近は中学生でも知っている言い方だそうだ。「本歌取りと盗用と剽窃とパクリの差を論じろ」などという問題に、最近の中高生は答えられるのだろうか。
太田　ただ、こうした情報の技術的な扱い方とは別に、もっと根本的な点も伝える必要がある。情報のクレディビリティーの見極めや取捨選択の仕方だ。といっても情報がどんどん多様化している現在、「これが正解だ」などと安易な解法は示せないし、適切でもない。学生たちにはときどき立ち止まって、自分の情報収集の仕方や自分が参考にする情報源の性質を検証し、改善点があるかどうか、自己点検を促している。
デスク　捨てられない情報をどう提供し続けるかも、メディア業界の課題だ。
古田　文芸や人文の分野では、出版社は絶えず新しい書き手を発掘したり、新しいものの見方を提示したりする使命を帯びている。時代物、現代物を問わず、物語を求める人の心は常に変わらず、世の中のあらゆる事象について新鮮な解釈や解説を求める人の知識欲も不変のものがある。新人を発掘し、有力な執筆者に時代が求める新たなテーマでの執筆を提案するのは編集者の役割である。

前田　そうそう。新聞業界の話を扱ったテレビドラマや映画のなかには、記者の動きもさることながら、記者というコマを動かす編集者の活躍に焦点を当てているものもある。

古田　電子出版の世界では、書きたい人が編集者抜きで作品を発表することができる仕組みもある。しかし、大半の作品は筆者と編集者の共同作業の産物だ。この過程を省いて多くの読者を獲得する良質な作品が世に出ることは稀だと思う。「最初の読者」である編集者を育成することは、ネット市場が拡大しつつある今日でも、出版社の変わらぬ役割だろうと信じている。

平川　でもそうやって世の中に出している本や雑誌、新聞は、やはり大量に買うと財布も痛む。ユーチューブなどの映像情報も含め、ネット上の情報は通信環境さえ整えれば、追加費用はほとんどかからない。

古田　かつて出版とは紙に印刷したものを広く社会に提供する事業だった。デジタル化の進展にともない、出版社は紙の出版物だけでなくデジタルコンテンツの提供にも乗り出し、さらに紙の縮小とデジタルの拡大が続けば、将来の出版社は、紙の出版物も発行しているデジタルコンテンツ提供事業というビジネスモデルに変貌してゆくかもしれない。しかし、どのようなかたちで発信するにせよ、正確な情報と良質なコンテンツの提供は出版社の不変の使命であり、民主主義社会で人々が文化的な生活を営むうえで不可欠の存在であり続けるに違いない。

前田　日本経済新聞の朝刊の記事部分を最後のページまで全部読むと、4～5時間かかる。それで1部売り180円、月ぎめ朝夕刊のセットで4900円だけど、高いかなあ。複数の新聞を定期購読して中身を比べるなどという読み方をするのは、専門家はともかく、一般の人にはコストパフォーマンスが悪いかもしれない。でも全国紙でも地方紙でもいいから、気に入った一紙を毎日、真剣に読む。それは教養を深め、人間が生きるうえでの大きな武器になると思う。ちょっと手前みそか。

平川　うん、かなり盛っている。

第3章　教育と人材

日本の明日を支える人材

このままでは後れを取る

平川幸子　今は大学院が増え、大学院の修了者も増えてきたが、日本の社会では特に文系の修士号取得者の活用が進まない。なぜ、学位と社会で働く技能の間に関係がないと考えられているのか。これからも関係がなくていいのか。それとも何か改善が必要か。

内野淳子　日本の企業は、文系では大卒を、理系では博士課程前期（修士）を必要なポテンシャルを備えている条件ととらえ、その後の能力開発は、企業のなかで独自に取り組んでいくことを前提としていた。余分な時間が他で費やされていることは、好まれなかった。

前田昌孝　世界の一流企業で働こうとすると、幹部社員になるためには修士課程を出ているのが最低要件のようで、学部を出ているだけでは、学んだ分野の専門知識を持っているともみなされないと聞く。日本企業も国際化していくと、海外で採用した社員は、大学院も出ていないのにそれなりのポジションに就いている日本人を、本当に地位に見合う力量があるのか疑問視するようになるのではないか。

内野　文系の大学院も増えてきたが、日本の文系の大学院は留学生、特に中国人留学生が多く占めているのが実情だ。日本人で文系の大学院に進むのは、研究者か国際機関を目指す人が多い。企業などへの就職を考えている人が進学して来ないのは、企業などで文系の修士号が評価されていないからだ。これはこの数十年、変わっていない。

横井久美子　昭和の時代の日本企業は法学部卒、経済学部卒などの新人は採用したが、法律家やエコノミストなどの専門職は求めてはいなかった。外部の専門家の助言を参考にして内部で最終判断をする「調整者」を求めていたと思う。雀荘通いでも問題視されず、体育系が重視されたのも、社内政治のために役立ったからであろう。21世紀になると、必要とされる人物像は変わってきている。

内野　情報化、グローバル化と変化のスピードが速いなかで、このままでは日本の企業は遅れをとっていく。大卒などで採用して社内で育成してきた社員に、大学院で修士号や博士号を取らせることも必要な方策になってきた。大学も社会人のニーズにあったカリキュラムを考えていくことが求められている。これからは大学が文系の人でも入っていけるデータサイエンスや環境、生物倫理など、文理融合的な領域を提供していけば、社会人のニーズが出てくるように思う。

横井(久)　戦前から工学系が求める人材は文科系とは異なっていた。日本企業ではエンジニアリングに関しては、「社内で考える」「系列企業と一緒に考える」「現場に即して考える」ということをしてきたので、専門的なことは外部任せなどと気楽なことは言っていられなかった。医師を養成する課程と似ていて、将来の専門いかんを問わず、まずは基礎科目、とりわけ数学、そして基礎的実験や実習を全員必修として、その上に細分化された専門性を積み上げる方式とせざるをえない。研究室配属が許されるレベルに達するのが大学4年生だとすると、研究室生活が1年間だけでは、十分ではない。本章の第3節でより詳しく紹介したい。

前田　国家戦略などという話をすると、教育の目的は企業の需要を満たすことだけではないと批判されそうだが、時代が要請する人材を供給できなくなっているとすれば問題だ。

平川　日本の大学は、国際的な評価が低い。東大は英タイムズ・ハイヤー・エデュケーション（THE）の世界ランクで36位だ。中国の精華大学（20位）、北京大学（23位）、シンガポール大学（26位）を下回っている。東大卒は世界の企業に評価してもらえない。米国では名のある大学のMBAを持っていれば、修了後3年で平均年収が2千万円を超えるという。米国の一流大学の資格は、世界の企業でそれだけの価値があるとみなされる。

（図表12）THE世界大学ランキング2021

順位	大学名	国
1	オックスフォード大学	英国
2	スタンフォード大学	米国
3	ハーバード大学	米国
4	カリフォルニア工科大学	米国
5	マサチューセッツ工科大学	米国
6	ケンブリッジ大学	英国
7	カリフォルニア大学バークレー校	米国
8	エール大学	米国
9	プリンストン大学	米国
10	シカゴ大学	米国
11	インペリアル・カレッジ・ロンドン	英国
12	ジョンズ・ホプキンズ大学	米国
13	ペンシルバニア大学	米国
14	スイス連邦工科大学チューリッヒ校	スイス
15	カリフォルニア大学ロサンゼルス校	米国
20	精華大学	中国
23	北京大学	中国
26	シンガポール大学	シンガポール
36	東京大学	日本
54	京都大学	日本

（出所）タイムズ・ハイヤー・エデュケーション（THE）

江川雅子　世界の大学ランキングが発表されるたびに、日本の大学の競争力が議論になる。ランキングでは英語圏の大学が有利なうえに、論文中心の評価なので自然科学分野が偏重される（人文・社会科学分野の研究は論文でなく書籍で発表）などの偏りもあり、一喜一憂すべきではない。だが、私が東大理事をしているころから、法人化後の教員の研究時間が減少している、ポスト削減により優秀な人材が研究者を志向しない、などの問題が顕在化し、競争力低下を懸念する声は多かった。

平川　東大は海外の一流大学にとてもかなわない。留学生にとって、東大はすでに魅力的な留学先ではない。日本の大企業で給料が2千万円に達するのは、終身雇用の給与体系では就職後20〜30年かかるのではないか。その額に達しない人も多いかもしれない。日本の優秀な若者だって条件さえ整えば、東大より米国の大学を選ぶようになる。いや、もうそうなっているのかもしれない。

前田　米国の一流大学のＭＢＡは企業への就職が第1選択ではない。まずは起業、次はベンチャーキャピタルだ。そしてコンサルティング会社や投資銀行を目指す人が少々いて、企業に行くとしてもプロダクトマネジャー職に限るといった具合ではないか。日本では株価純資産倍率（ＰＢＲ）が1倍を割っていて、清算したほうがいいと株式市場から厳しく評価されていても、伝統ある大企業に就職すれば、親も大喜び。そこで何をするかなんて全く関係がない。

大学は変われるか

平川　東大をはじめ、日本のリーダー格の大学は、卒業生の質の保証にもっと力を入れるべきだ。個々の大学がそこで学ぶと学生は何を得られるか、言い換えれば大学の価値はどこにあるのかを徹底的に考え、方針が決まったら、学生を強制的に勉強させ、試験で到達度を測り、必要な能力に達しなかった学生は容赦なく落第させればいい。卒業できた学生は大学のブランドそのものだ。卒業生を通じ、大学のブランドを戦略的に社会に広げるべきだ。

前田　ただでさえ少子高齢化を背景に、多くの大学が学生の確保に躍起になっているのに、そんなことができるとは思えない。「だから日本の大学はダメなのだ」というのは簡単だけれども、企業も親も政治家も大反対するだろう。教える側がたいして競争もない甘い世界にいるのに、学生を厳しい競争下に置くなんて、かたちは作っても、どうやってその緊張感を伝えるのか。

平川　恥ずかしながら、私が東大に入学した理由は、東大卒というブランドがほしかったからだ。40年前の社会では女子社員は男性社員の花嫁候補だった。家事が嫌いな私は花嫁戦線での勝ち目はない。終身雇用のトラックに乗るエリートと結婚することが自分の幸せとも思えなかった。必死で考えた末の戦略が「とりあえず自分に東大ブランドを付ける。東大に行けば進むべき道が見えるかもしれない」というものだった。

前田　今よりは少ないにしても、学生の1割ぐらいは女子ではなかったか。必ずしも牛乳瓶の底のようなメガネを付けたがり勉タイプばかりではなく、才色兼備の人が多かった。ただ、サークルの男子学生は東大女子よりも他大学の女子学生に関心を持っていた。

平川　大学生活は本当に充実していて、楽しかった。たくさんのことが学べた。しかし、東大男子は麻雀ばかりしていても、企業にブランド力で採用されたが、東大女子は「規格外」で相手にされなかった。男子学生のところには、会社案内が10キロ単位で届いた。男性の名前と同じような名前の女友達にも何通か届いたが、会社の連絡先に電話を掛けたら、「そちらはご本人様ですか？」「はい」「女性の方ですか」「はい」「あ、こちらの間違いです。どうも申し訳ございませんでした」で切れたそうだ。

「幸子」には1通も届かなかった。

前田　それにしてはみんな男子学生でも入りにくい立派なところに就職したではないか。その結果、仕事に夢中になりすぎて、永久就職をしない人や離婚した人も多かったけれども。

平川　ん。何か言ったか。もう1回言ってくれない。本論に関係のないことだったら、セクシャルハラスメントで訴えてやる。

前田　あっ、いや、そのネコかわいいねって。

江川　そもそも大学の競争力がなぜ問われるかというのも重要な問題だ。大学の就職予備校化、実学偏重の傾向に危うさを感じる。社会や環境の問題を解決する知を生み出す、次世代を担う若者が伸び伸びと育つためのインフラ、という大学本来の役割を見失ってはならない。

前田　就職氷河期の名残もあって、まだ学生の就職内定率の高さなどを看板に掲げている大学もあるのだろう。しかし、大学が本当に学問の楽しさを学生に感じさせているのかというと、それも疑問だ。まだごく一部の学生だけの話かもしれないが、東大と海外の大学の両方に合格して、4月になったら東大に通い始めるものの、「何かが違う」と感じて秋になったら東大に通うのをやめ、海外の大学に移ってしまう人が増えているらしい。

平川　東大に残り、そのまま日本企業に就職しても仕方がないという気持ちとのセットではないか。

前田　ある奨学財団の事業に携わっているが、奨学金授与式などで学生の発言を聞いていると、今の学生は大学や大学院で何を学んで、どんな職業に就きたいかという目的意識が私たちのころに比べても明確な印象がある。就職が決まってから、いったい私は何になるのだろうかなどとおののいていた自分とは大きな違いだ。有能な教員をそろえ、学生のニーズに応える授業ができないと、学生を集められなくなるのではないか。

教育の可能性

大学の運営上の課題

江川　大学の問題は社会の課題と密接に絡んでおり、簡単な解決策はないが、国立大学については、第1に大学の自律性の欠如、第2に人材の流動性・多様性の少なさ、第3に国際化の遅れ、この三つの課題があるのではないか。

平川　でももう国立大学が独立行政法人になって17年。自律性が欠けているなどといわれても、企業ならばとっくにつぶれているよ。

江川　文部科学省の一部門だった国立大学は、2004年に法人化された。だが、法人化後も人材や予算の面で自律的な経営ができているとは言いがたい。特に問題なのは、国立大学の人事制度が文部科学省の人事と一体的に運営されていることだ。例えば、東大の部長の大部分は文部科学省からの出向で2～3年ごとに交代する。組織を支える重要なポジションを外部人材が交代で担うのでは、長期的な計画遂行や人材育成が難しい。法人化後に始まった東大独自採用による職員の士気に影響するという問題もある。

平川　江川さんのお話にある「部長」は事務方の職員のことで、教授陣のなかから選挙で選ばれる「学部長」のことではないだろうが、いずれにしても学問としてあるべき論を探求している大学が、あるべき姿になっていないのは、おかしくないか。

江川　大学の経営力の強化のために総長に権限を集めるべきだという意見が多いが、総長だけで大きな組織を動かすのは不可能だ。経営力強化と、教員の研究時間確保のために事務職員の計画的育成が急務だが、問題はそれがしにくいことだ。資金面でも、運営費交付金が減少し、競争的資金が増えたために、自律的・長期的に人材やリソースの蓄積ができない。文部科学省が大学に細かい規制や指示を出すという現在の両者の関係も、大学の自律性を高めるには変えていくのが望ましい。

前田　行政の役割をどう定めるかは、日本のガバナンスの問題だ。一つ一つやり方を改善していくというアプローチもあるだろうが、私が主張したいのは「まずどんなことでも法律に書いてある通りに運用しろよ」という点だ。法律通りに運用すると大学を法人化した理念がどこかに消えてしまうというのならば、理念が反映されるように法改正をすればいい。法の支配を貫徹しないと、透明な社会が築けないと思う。

デスク　法の支配が大事だといっても、司法権の独立を担う裁判官が、最高裁判所を頂点とする司法官僚組織に人事を握られ、同調圧力にさらされているような国だからね。

江川　法律上、文部科学省の権限が大きく大学の裁量が少ないという問題と、法人化後も昔からの慣習で文部科学省にお伺いを立てるという問題がある。前者に関して東大の理事時代に驚いたのは、寄付金を運用する対象が法人法に細かく規定されていて、国債は認められていたが、社債はダメだったことだ。ギリシャ国債は買えるが、トヨタの社債は買えないというような矛盾があった。

前田　独自の財源がなければ、やはりお金の出し手の意向には逆らえない。海外の大学のように卒業生が後進の育成のために、多額の寄付をしてくれるような文化があればいいのだけれども。

江川　監査法人は毎年入札をして決めなくてはならず、大学が入札して選んだ結果に基づいて、文部科学省が決定することになっていた。競争を導入するために、毎年入札で監査法人を選ぶという仕組みにしたのだろうが、現在監査を担当している会社がコスト面で圧倒的に有利なので、大学によっては公募しても1社しか札を入れないということが起きていた。だいぶ前の話なので改善されたことを願いたい。

前田　教育の話からちょっと離れるけれども、米国では大学が巨額の運用資金を持っているだけでなく、一流の運用者を採用していてさまざまな先進的な運用に取り組み、資産運用ビジネスにも大きな影響を与えている。「知の殿堂」は教室だけのことではなく、いろいろな面で社会の知的リーダーになることではないか。

江川　人材の流動性の少なさは日本全体の問題でもあるが、例えば、東大では東大の学部・大学院を卒業して教員になる者が多い。他の国では異なる大学で修士・博士号を取ることを奨励しているのと対照的だ。研究者の流動性を高めることで、イノベーションや競争を通じて、いい効果が生まれるだろう。女性、外国人なども少なく、多様性にも乏しい。

前田　個々の教育機関が特徴のある教育をして、社会に活力を与えるような人材を育成する。教育関係者だけがタコつぼに入って、自縄自縛の運営をしていてはダメだと感じる。海外留学をする学生が減っているという統計もあるが、実績のある高校には米欧の一流大学から「来年は当校に何人留学させてくれますか」といったリクルートが来る。実績があれば、文科省はつまらない介入をしてこない。

デスク　でもよくなってきた面もある。

江川　濱田総長時代に秋入学を真剣に検討したのは、学生・教員ともに海外との交流が容易になり、人材育成の上で効果があるだけでなく、世界中から優秀な研究者を惹きつけられるという狙いを持っていた。英語で教育研究をするシンガポール国立大学は、世界中から優秀な研究者を募り、中国の大学も海外の大学で活躍している人材を積極的に呼び戻すことによって近年、急速に競争力を高めた。グローバルに優秀な人材を呼び込めれば、国際化が進むだけでなく、いい意味の競争やイノベーションを促す効果もある。秋入学を再度検討する価値はあるのではないか。

平川　広島大学の大学院で指導した経験から言うと、文系の日本人学生は学問的な批判力や専門分野の方法論が弱いね。「○○は素晴らしいから、どんなに素晴らしいかを研究する」なんて、学問的にはあまり意味がない。賛美するよりも、直面している課題やその克服の試みを批判的に研究する人の方が求められている。すべてが素晴らしいと信じていると、少しでも悪い点を見つけたら許せないと、全面否定に走ったりする。いい点と悪い点を科学的・実証的に分析するための教育や研究の強化は大きな課題だ。

学びの基礎をどう築くか

デスク　中等・初等教育の課題もちょっと議論してほしい。

平川　日本の子どもは世界的に見ても高い知識を義務教育で身に付ける。しかし、多くの場合、その知識は学校を終えた時点で凍結されてしまうらしい。例えば、最新の科学に関する大人の知識は世界的に見て低い。習っておしまいで、自分で学び続けることが下手なのだ。そして、経済協力開発機構（OECD）の加盟国生徒の学習到達度調査（PISAテスト）に見るように、数学や科学に比べて日本の子どもの読解力は低い。読解力はすべての学びの基礎だと思う。IT社会では、子どもが長文を読む機会は減っている。読解力を学校で身に付けさせる必要性はますます高まっていると思う。

前田　子ども世代が「ゆとり教育」の対象だったこともあり、今でも思うことがある。「多種多様な経験をして人間性を豊かにする」という目標は素晴らしくても、教育現場でその理念を正しく理解して実践できる教員は限られていたのではないか。結果的に失敗といわれている。昨今のコーポレート・ガバナンス（企業統治）改革も似ている。資本コストを意識した経営という考え方は素晴らしくても、実践できる経営者は限られ、結果的にコスト削減に走るだけの企業が多い。従業員は給料が上が

（図表 13）OECD の学習到達度調査（PISA）
2018 年調査の結果

順位	読解力	数学的リテラシー	科学的リテラシー
1	北京・上海	北京・上海	北京・上海
2	シンガポール	シンガポール	シンガポール
3	マカオ	マカオ	マカオ
4	香港	香港	エストニア
5	エストニア	台湾	**日本**
6	カナダ	**日本**	フィンランド
7	フィンランド	韓国	韓国
8	アイルランド	エストニア	カナダ
9	韓国	オランダ	香港
10	ポーランド	ポーランド	台湾
11	スウェーデン	スイス	ポーランド
12	ニュージーランド	カナダ	ニュージーランド
13	米国	デンマーク	スロベニア
14	英国	スロベニア	英国
15	**日本**	ベルギー	オランダ
16	オーストラリア	フィンランド	ドイツ
17	台湾	スウェーデン	オーストラリア
18	デンマーク	英国	米国
19	ノルウェー	ノルウェー	スウェーデン
20	ドイツ	ドイツ	ベルギー

（注）非 OECD を含む全 79 カ国・地域での比較。北京・上海は「北京・上海・江蘇・浙江」。日本とアジアに網掛けをした

らず、やる気を失う一方だ。私たちはいろいろやったけれども、細部にわたる設計まで配慮が行き届かず、独りよがりの空回りに終わることが多かった。

太田昭子　私もゆとり教育については、同じように感じる。コンセプトそのものは間違っていなくてもＨＯＷ、つまり教育現場で具体的にどう運営するかの部分が綿密に検討されていなかったのではないだろうか。

平川　ゆとり教育というのは、教員の週休2日制を実現するために授業時間を減らさざるをえなかったので、それを正当化するために考え出された後付けの論理でしかなかった。文部省の政策として恥ずかしいものだったと思う。しかし、社会も円周率を3・14と教えないとか、学校にいく時間が減ったら子どもが不良になるとか、表面的な批判に終始し、学校で本当に身に付けるべき知識技能とは何かという本質的な議論がなされなかったのは残念だった。当時、欧米の教育界では、読解力などこれまで見逃されてきた技能の重要性について研究が進んでいたのに。

前田　暗記中心の詰め込み教育への反省ではなかったのか。今でもそうだけれども、大学の入試に何が出るかで高校、特に進学校の授業の内容は決まる。知識の量ではなく、思考力を問う入試をもっとしていれば、高校の授業内容が変わり、高校の入試問題が変わり、中学の授業内容は変わっていたのではないか。日本が「追いつけ追い越せ」の国から、新しいパラダイムの提示を求められる国に変わっていくのに合わせて、学習指導要領も改変すべきだったと思う。

平川　学習指導要領などの改善努力は行われているよ。でも、現場で教育に携わる先生や保護者、社会の人々の意識を変えていくのは簡単ではない。

高度専門職業人の養成

戦後の経済成長を支える

横井(久)　私は東京工業大学と静岡大学で教員を務めた後に8年間、高等専門学校（高専）で教鞭をとってきた。日本が戦後、昭和30年代以降、急速な経済成長を遂げたのは、良質の豊富な労働力が得られたからだとされている。一つは農業従事者が工場で働き始めたというかたちでの労働力供給、もう一つは現場でのリーダー格となるべき中堅技術者として、１９６４年の東京オリンピックの前夜のころから、各地に設立された高専の卒業生が、非常にまじめでストイックに頑張って励む、素養あるエンジニア達となって供給されたからだ。

平川　確かにキャッチアップ型の経済では、経営学修士（ＭＢＡ）よりも現場の指揮官と高品質な労働力が大切なように思える。

横井（久）　日本は戦前、各地の高等工業学校が指導者の育成に取り組み、製造現場を牽引していた。日本のテレビの父と言われる高柳健次郎が「イ」の文字を使い、世界で初めてブラウン管テレビジョンの送受像を成功させた瞬間の写真を見たことがある人も多いかもしれない。静岡大学工学部の前身の浜松高等工業学校でのことだった。その後、戦争中の混乱を経て現在に至るまで、製造業に人材を供給するための重層的な構造が次々と整えられてきた。

平川　理工系大学の大学院から工業高校まで、本当にさまざまな教育機関がある。最先端の技術開発に取り組む人から、製造現場で生産プロセスの改善に取り組む人まで多様な人材を供給してきた。

横井（久）　戦後に新制の国立大学が一県一校を原則に整備された。国立大学を置くことができなかった地方都市には、5年制の高専を置くことも多く、現在、全国に51の国立高専がある。理工系の短期大学を併設する大学もあった。

前田　いろいろな分野で日本製品が世界市場を席けんしていた時代もあったが、こうした重層的な体制が奏功したのか。

横井（久）　米国の製造業の現場は研究職と、単なる歯車としてのブルーカラーの時給制労働者に二極化していた。それが災いし、1980年ごろの米国製造業の凋落は著しい。士気が低下した労働者が作る自動車は故障が多く、日本車は故障の少なさで海外で圧倒的な支持を得た。日本製のテレビやオートバイも欧米を席けんした。日本では、エンジニアもラインでの労働も、皆、同じ制服を着て仲間意識を持ち、良質な労働者が、現場で創意工夫をして、「擦り合わせ式」の製造をしてきた。ドイツではこれとは異なり、マイスター制度もあって職人的なかたちで製造技術者を育てていた。その成果が優れた工業製品となっている。

前田　米国の統計学者でありコンサルタントでもあったエドワーズ・デミング博士が考案した工場の統計的品質管理手法は米国では定着せずに、日本で全社的品質管理（ＴＱＣ）、総合的品質管理（ＴＱＭ）として花を開いた。

理工系人材への高いニーズ

平川　ただ、日本の経済成長を支えた理工系人材がみな幸せな人生を送っているのかと問われると、答えに窮する。もちろんノーベル賞を取るような人もいたが、勤務先では十分な処遇が得られずに、週末、密かに中国や韓国に技術指導の「出稼ぎ」に行く人も多かったという。分野にもよるが、日本の製造業の国際競争力はかなり低下した印象がある。

前田　文系人材の出世すごろくの上がりは社長かもしれないが、理工系人材は工場長止まりという企業も多い。技術者としての旬は若いころに過ぎてしまい、その後、一部は管理職になるだろうが、多くは専門以外のことに疎いために、企業として活用しにくいといった難点もある。最近は自動車メーカーでも有力技術者が中国企業に移る例が相次いでいる。。

横井（久）　高専は時代の変化のなかで役割を見出しにくくなっている。かつては重宝がられた卒業生も21世紀となり、工場の自動化が非常に進み、今や、工場のなかに、人間の姿を見つけることが難しいくらいになっている。人間は全自動化されたラインで、機器や製造設備の点検をしているくらいだ。

平川　これからも日本の製造業の現場を支え、国際競争力を取り戻すために、理工系への教育はどう改善していったらいいのか。

横井（久）　いくつかの観点がある。製造業でもっぱら求められるのは、自動化の制御のためのプログラミング、システムその他の電子工学、コンピューター工学関連の技術者だ。高専でいえば、現場の第一線で汗して働くエンジニアだけでなく、日本のデジタルトランスフォーメーション（ＤＸ）を支える人材をもっと精力的に育てたい。

前田　システムエンジニアというと３Ｋ職場の代表のようだけれども、細かく分け入っていけば、真の専門知識を身に付けた人だけが能力を発揮できる世界がありそうだ。

横井（久）　もう一つの観点は、文系の素養をどう磨くのかということかもしれない。私が離れた後に東京工業大学では、文系素養に弱いという問題意識から、リベラルアーツ教育を強化している。レベルの高い研究者を招いて、今では「リベラルアーツ研究教育院」とうたっている。最近では大学1年次から、専門教育も一般教養科目も、両方ともに織り交ぜていくシステムを「くさび型教育」として説明しているようだ。

前田　日本の製造業が復活する期待は持てるか。

横井（久）　理工系に進んだ人が人生を謳歌できるような環境整備が進めば、日本には現場の一体感といった海外にない強みがあるのだから、まだまだ一人ひとりの人材は力を発揮できると思う。ちょっと古いが、高専の卒業生の意識調査の結果を見ると、教育プログラムへの満足度は高い。教育課程で

（図表14）高専卒業生は高い満足度

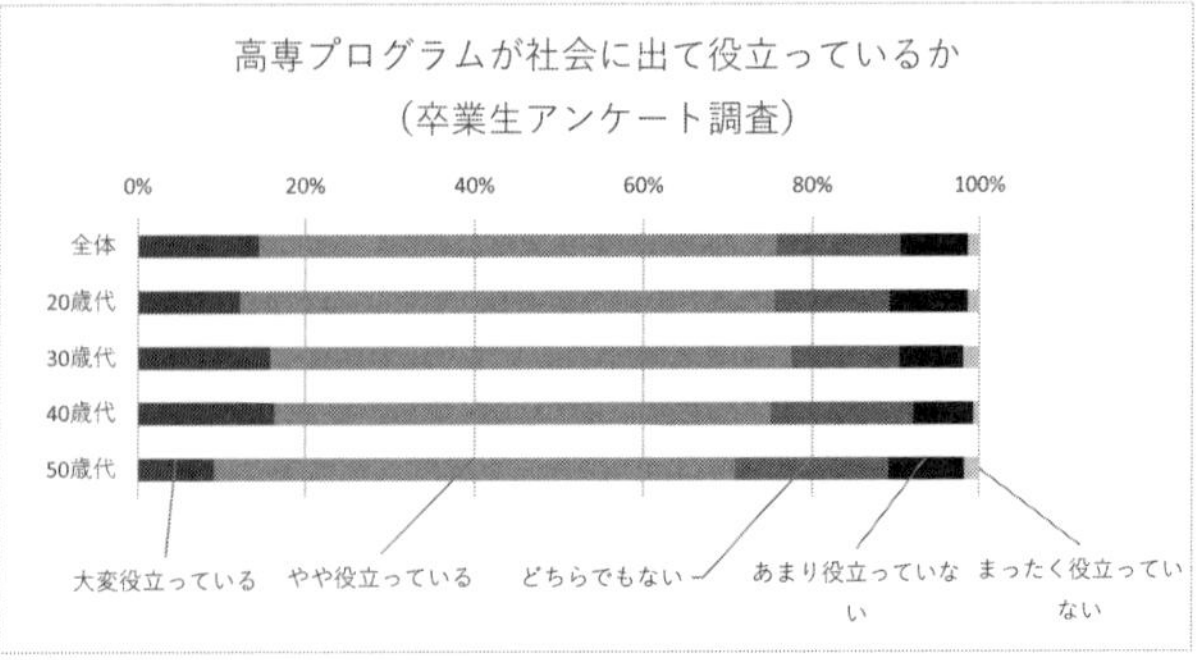

（出所）独立行政法人国立高等専門学校機構「高等専門学校の在り方に関する調査」（2006年3月）をもとに筆者作成

も好循環を復活させる努力が必要だ。

前田　その前提は整っているのか。周辺国も総力戦で製造業の競争力向上に取り組んでいる。リケジョ（理系女子）が増えているといった話もあり、同僚の男性にもちょっと華やかな人生が期待できそうだが、うかうかしていると本当に日本は優れた理工系人材を輩出できなくなり、製造業は独りよがりの技術でガラパゴス化して、世界に相手にされなくなるかもしれない。

横井（久）　高専に設置された専攻科に進んで学士の学位をとることも可能だ。4年制大学の3年次あるいは2年次に編入し、大学卒として就職したり、大学院に進んだりする人もいる。高専に限った話ではないが、自分で人生を切り開こうとする人を全力で応援する社会になればいい。

平川　人材を輩出し続ける仕組みの構築も大切だと思う。

横井（久）　最近でも文部科学省は２００２年度にスーパーサイエンスハイスクール（ＳＳＨ）の制度を始め、理系に強い中学生を受け入れるようになった。２００３年度には高度専門職業人の養成を目指して、専門職大学院の制度を設けた。現場で活躍するプロフェッショナルを育てるのが目的で、ＭＢＡ（経営学修士）、法科大学院、会計大学院など文科系の課程が多いが、技術経営（ＭＯＴ）や情報技術（ＩＴ）系の大学院を設置した大学もある。卒業生に「学士（専門職）」が授与される「専門職大学」も今まさに始まろうとしている。

前田　製造業が生み出すさまざまな製品の多くは最終的には消費者が購入するわけだから、理工系学生が学ぶべきことは単なるテクノロジーだけではない。無限の人間の欲求を満たすには、生活空間への入りやすさ、ファッション性、芸術性、哲学などさまざまな要素も兼ね備えて、完成度が高いものを提供する必要がある。法学や経済学を学ぶ文系学生とは違った技能が求められる。文系人材は社会の仕組みを作ったり、有利な資金調達に知恵を出したりするけれども、製品に付加価値を付けられるのは広い意味での理系人材だけだ。世界一厳しいと言われる日本の消費者の目に耐えるだけの製品を開発・製造できる人材を輩出し続けるために、教育現場は一段と努力を傾けてほしい。

第4章　社会保障は盤石か

医療保険制度の課題

国民皆保険の優れた点

デスク　教育問題では実際に教壇に立つ女性の論者が元気だったけれども、社会保障問題は辻さんや島崎さんの専門だ。少子高齢化のしわ寄せを受ける社会保障制度の持続可能性を取り上げたい。まず医療保険制度は大丈夫か。

辻泰弘　「国民皆保険」「フリーアクセス」「現物給付・高額療養費制度」「医薬品・医療技術の承認がほぼイコール保険収載」という日本の医療保険制度の長所は、国民の幸せを医療面から確実に支えてきた。日本の医療制度は巷間言われるごとく「世界に冠たる」ものだと思っている。

島崎謙治　日本は１９６１年に国民皆保険を実現し、さらに第1次石油ショックが起こる１９７３年ごろまで発展させた。その最大の推進力は高度経済成長であり、そのファンダメンタルな要因としては、人口が増加するとともに人口構成も若かったことが挙げられる。これは「逆も真なり」のはずである。社会経済が右肩下がりになれば、国民皆保険は決して安泰とは言えない。

辻　「国民皆保険」について言えば、日本の医療保険制度は、国民健康保険法が第5条で日本に居住する者をすべて国民健康保険の対象とし、第6条で健康保険の被保険者、共済組合の組合員などをそれから適用除外とするかたちをとることにより、公的医療保険の対象から漏れる国民がひとりも出ないように設計されていることで成り立っている。これによって日本の医療保険制度は、公的な保障を背景とした、完全なかたちでの「皆保険」となっている。

島崎　国民皆保険は国民の安心の源泉となっているが、「国民皆保険の堅持」を念仏のように唱えれば、持続可能になるわけではない。今すべきことは、医療機能の分化と連携の強化などを通じて医療の生産性を向上させるとともに、保険給付や負担の見直しを図り、国民皆保険の基盤を強化することだ。これは将来世代に対するわれわれの責務である。

辻　「フリーアクセス」について言えば、今回のコロナ禍以前の平時でとらえたときに、注射1本打つのに何週間も待たされる英国、地区の一般医に診てもらうまで1週間、専門医に診てもらうまで3カ月待つこともあるスウェーデンなどの国があるなかで、今日の日本では、国民ひとりが医師の診察を受ける回数（年間12・6回）がOECD諸国平均（6・7回）のほぼ2倍であることが示すように、国民が医療に接しやすい状況が整っている。

前田昌孝　誰でもその気になれば、マスコミなどで紹介される名医の診察を受けることも不可能ではない。特に高額な請求をされるわけでもないし。この点では確かにすごい制度だ。

辻　「現物給付」について言えば、この制度によって、医療機関では、窓口で自己負担分（原則3割）だけ用意すれば受診でき、かつ、「高額療養費制度」によって、医療費が一定額を超えた場合には払い戻しが受けられることになっており、これらによって、お金がなくても医療機関が受診し易いように配慮されている。

前田　さらに勤務先の健康保険組合がかなりの補てんをしてくれたこともあり、私は7年前に大腸がんの手術をしたが、民間のがん保険の保険金がまるまる臨時収入になってしまった。米国では進行したがんにかかると、家計が火の車になると聞いたことがあるけれども、大違いだ。

辻　「医薬品・医療技術の承認がほぼイコール保険収載」について言えば、例えば今日、がんの免疫治療薬「オプジーボ」は世界中多くの国で承認されているが、日本のように誰もが少ない負担でその恩恵に浴せる国は極めて少ない。日本では有効性、安全性が確認された薬や医療技術は遅滞なく保険の対象として取り入れ、すべての国民に最適最良の医療が提供されうる体制を常にとってきた。お金があってもなくても必要時には最先端の医療を、すべての国民が受けられるようにしようという精神が生きている。

コロナ禍で課題も浮き彫り

平川幸子　でもいろいろな角度から持続可能性が問われているのではないか。コロナ禍で浮き彫りになった脆弱性も、国民から安心感を奪った。

島崎　コロナ禍は日本の医療提供体制の弱点を浮き彫りにした。欧米諸国に比べ日本は人口当たりの死亡者数が少ないうえに病床数は多いにもかかわらず、なぜ病床が逼迫するのかと問われることがあるが、不足しているのは病床ではなく医療スタッフである。つまり、日本の医療提供体制は、人口当たりの医師数や看護師数は他の先進国と比べ遜色はないが、病床数が多いうえに小規模な病院が多いため、医療資源が広く薄く分散してしまっている。医療機関の集約、役割分担の徹底、連携体制の強化を通じ、限られた人的資源の効率的な活用を図ることが政策課題だ。

前田　もっと全体最適を追求すれば、国民医療費も減少し、財政負担も国民負担も減るのではないかと国民は疑っている。大騒ぎして後期高齢者の医療費の自己負担割合を、単身世帯で年収２００万円以上、夫婦２人世帯で年収計３２０万円以上の場合に２割に引き上げたが、コロナ禍で浮き彫りになった構造問題を見るにつけ、何かが違うのではないかと感じ始めている。

辻　日本の医療・医療保険制度はすばらしい面を多く備えているが、この点が国民に正当に評価・認識されておらず、「ありがたさ」が十分に実感されていないという問題がある。これからも制度の基本と長所を維持・継続していくためには、国民の深い理解、支え合いの精神、確固たる意思が不可欠だ。

島崎　年功序列と終身雇用を特徴とする日本の労働慣行は高度成長期に定着した。日本の国民皆保険・皆年金は高成長期に確立されたものであり、このような労働慣行と整合的だった。正社員は健康保険・厚生年金、それ以外は国民健康保険・国民年金という区分だ。しかし、働き方の多様化により派遣やアルバイトなどのいわゆる非正規労働が増加したほか、フリーランスの形態なども増えている。社会保障制度の基本的な枠組みを根本から変えるべきだという議論はここからも起きている。

前田　かかる医療費は誰かが負担しなければならない。「国民皆保険の堅持」とよく言われるが、世界の製薬会社は日本ではもうからないので、新薬の投入を控え始めたという話も聞く。欧米では治る病気が日本では治らないとなると、富裕層は海外の先端医療を施してくれる病院に行ってしまうのではないか。

平川　子どもの難病治療などのために、支援者に多額の寄付をしてもらって海外に行く人は今でもいる。気の毒だが、医療技術が追いつかなかったり、医療保険制度で対応できなかったりするのだろう。こうしたこととは別に、皆保険の枠組みに入れない人が出てくるのは困る。

島崎　わが国の皆保険は被用者（サラリーマン）以外の者は国民健康保険で受け止める制度設計となっ

ているため、たとえ失業しても皆保険の網からこぼれることはない。それから、働き方が多様化しているると言ったが、雇用という形態が廃れてしまうわけではない。また、健康保険・厚生年金は請負や委任のような契約形態であっても、使用関係があれば適用対象になる。したがって、まず短時間労働者の健康保険・厚生年金への適用拡大や使用の解釈の明確化など、現行制度の枠組みのなかで、できることを最大限行うべきではないか。

公的年金は大丈夫か

長寿のリスクに備える

平川　老後2000万円問題なども語られ、日本の公的年金制度の持続可能性にも不安が募っている。

辻　私たちの人生は、自分自身や家族の加齢・障害・死亡によって、生活が困窮するリスクを抱えている。このようなリスクの顕在化は予測できず、個人のレベルで備えるには限界がある。そこに公的年金制度の出番がある。あらかじめ保険料を納めておけば、必要となる事態に遭遇したときに現金の給付を受けることができる。

前田　でも国民年金でいうと、毎年20万円近い保険料を40年間収めて、ようやく65歳になったときから月に6万5000円の保険金を受け取れる。年約78万円だ。金融庁のホームページを見ると、積み立て型の少額投資非課税制度、つみたてＮＩＳＡの想定利回りは年３％らしいから、20万円をつみたてＮＩＳＡに回して、40年後の元利金1508万円を5年据え置いた後に、年率３％で運用しながら年80万円ずつ引き出したほうが賢くないか。ほぼ同額だけれども、持続性に疑問がある国の制度に委ねるよりもいいかもしれない。65歳から引き出しを始めると、98歳までは底をつかない。ちなみに、つみたてＮＩＳＡは私たちの同窓生の森信親君が金融庁長官だったときに、頑張ってこしらえた。

辻　計算はそうでも、年率３％は確実ではないし、若いころから自分の老後に備えて貯金をすることは現実の問題として極めて難しいことではないか。公的年金制度によって、若いときから保険料を納める義務が課されているからこそ、老後に備える体制が整えられるのだと思う。

前田　天寿を全うできないリスクや、制度変更によって支給開始年齢が繰り下げられるリスクもある。

つみたてＮＩＳＡの利用など、金融機関で計画的に老後の備えに取り組んでいる人は、国民年金保険料の支払い義務を免除してもいいのではないか。自由に制度の枠外に出られるようにするといった無責任な制度ではなく、政府が認めた民間の積み立て商品に対して毎年きちんと拠出し、その状況を政府が監視することに同意する人だけが、支払いを免除されるイメージだ。ハイブリッド型の国民年金制度に衣替えするといってもいい。そのためにマイナンバー制度を使うというのならば、反対する人も少ないと思う。

島崎　一言だけ口を差し挟むが、人は霞を食って生きていけないから、長寿のリスクもある。公的年金が終身給付となっているのはそのためだ。インフレなど経済的変動リスクもあるが、公的年金の受給金額は基本的に物価スライドされる。これは民間保険ではできない。自助努力はもちろん大切だが、老後の生活を支える基礎的部分が保障され、社会の安定が図られるという公的年金の意義を過小評価すべきではない。

辻　国民年金はすべての国民が加入して支え合い、１００兆円強の国家予算のうちの12兆円以上をつぎ込んで、給付額の半分を賄う仕組みだ。若い世代が高齢の世代を社会全体で支える仕組みでもある。

もし、公的年金がなかったら、多くの場合、毎月の生活費の仕送りをしたり、同居したりして、親の老後生活を直接支えなければならない。その経済的負担はかなり大きなものとなるだろう。親の面倒を見ている子のほうが先に死亡するもありうることで、その場合、親の生活は行き詰ってしまう。公的年金は本人が生きている間は支給が保障されており、たとえ子が先に死亡したとしても、支給が途絶えることはない。

前田　マイナンバー制度を通じて自助努力している人が制度の枠外に出られるようにすれば、国が主導して大掛かりな制度を維持する必要がなくなる。年金積立金管理運用独立行政法人（ＧＰＩＦ）が過度のリスクを取って巨額の積立金を運用する必要も薄れていく。

辻　「制度の枠外に出る」ということは、自分の親への仕送りを他の人たちに押し付けるという意味合いを持つから、国民皆年金の制度としてはありえない。また人間関係の摩擦による精神的負担の側面も重要だ。公的年金制度によって、若いカップルは親と同居をする必要がなく、親子間の「葛藤」から解放されている。一昔前によく言われた「嫁・姑の闘い」などから解放されていることは、あまり意識されていないが、若い世代にとって大きなメリットだろう。

前田　親の家を相続するときに小規模宅地の特例という減免措置を使うには、同居が原則だ。家なき子特例などもあるが、同居しないで減免を受ける条件はどんどん狭められており、住民票だけを移すとか、子ども夫婦の片方だけが同居するなどというのも原則ダメ。嫁・姑の間に立って、人間力が試される日々だ。親が介護状態になれば、放置もできない。公的年金だけで「葛藤から解放」などというのは一面的だ。

世代間不公平への視点

辻　個人の生涯を通じた保険料の負担と給付のバランスを見れば、厚生労働省の試算（財政検証）では、生まれた年代に関係なく、保険料負担額に対する年金給付額の比率は1倍を超えている。これは、基礎年金給付費の2分の1の国庫負担と、厚生年金の事業主による保険料の半分負担（労使折半）によって成り立っているもので、公的年金制度では平均するとどの世代でも保険料として負担した額以上の給付が受けられる見通しになっている。

前田　事業主負担は保険料に加えて算定すべきではないか。自助努力でやるから制度の枠外において

（図表15）本人負担を上回る年金額

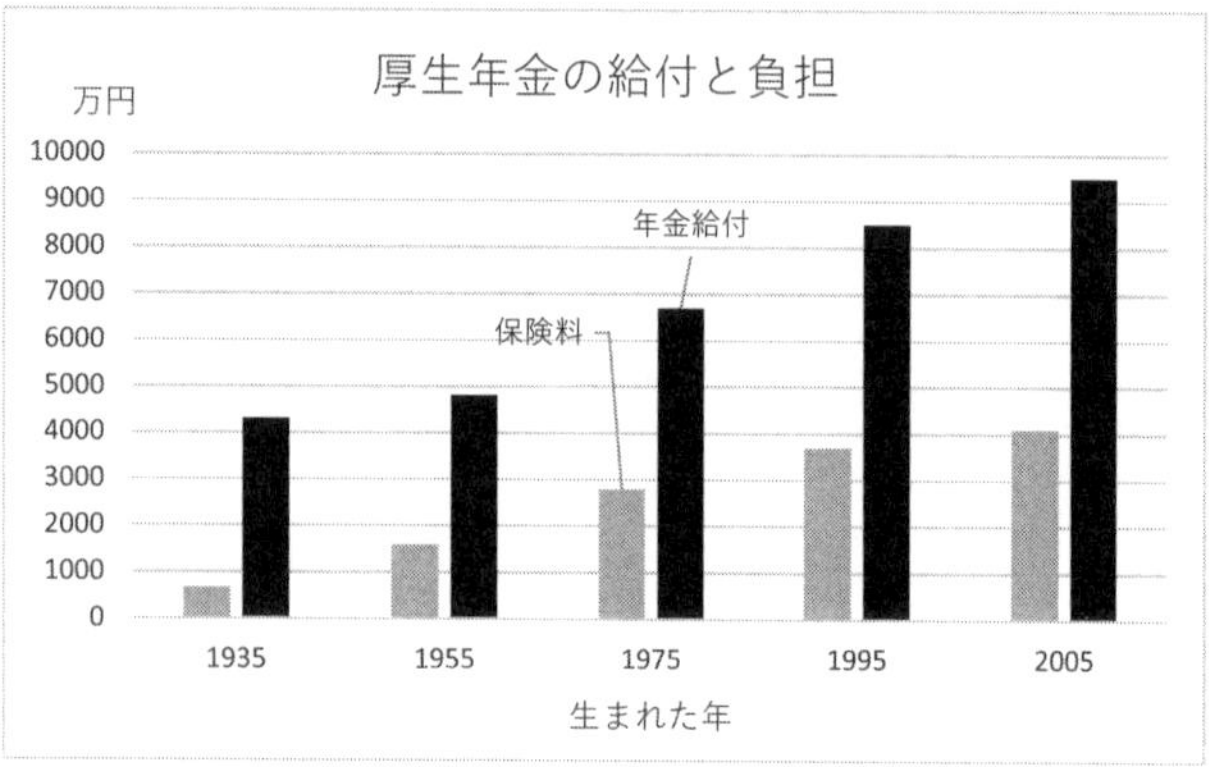

（注）夫が平均的年収で 40 年間就業し、妻がその期間すべて専業主婦であることを前提に試算
（出所）首相官邸ホームページのデータをもとにグラフ化

ほしいという人が増えれば、基礎年金給付費の２分の１の国庫負担もいらなくなる。制度の持続可能性も高まって、今よりもずっといい。

辻　保険料負担に対する年金給付の比率が１倍を超えているという結果は、事業主負担も加えて計算した厚生労働省の試算に基づくものだ。

前田　たとえば首相官邸のホームページでは厚生労働省による試算だとして、２００５年生まれの人は厚生年金保険料の負担が４１００万円、給付される年金が９５００万円だから、給付は負担の２・３倍だと説明している。しかし、事業主負担を含めれば、負担は２倍になる。しかも、夫が40年間、平均的年収で就業し、妻が専業主婦だった場合が前提だ。妻は第3号被保険者だから、基礎年金分の負担をしていないことになるが、試算のモデルとして古いうえに、いいところ取りではないか。

辻　その試算が示しているように、厚生年金の保険料の負担は、労使折半なので事業主負担を含めると4100万円の2倍で8200万円となる。給付される年金額は9500万円だから、負担に対する給付の比率は1倍を超えている。

デスク　制度の枠外に出るというアイデアのプラスマイナスは。

前田　保険料の負担能力がある人が枠外に出てしまうと、保険金の原資が減ってしまうという理屈もあろう。保険の原理である大数の法則の否定だから。自助努力でやると言って枠外に出た人が、実際はほとんど老後の資金準備をしていなかったということになるのも問題だ。しかし、マイナンバーを利用して資産の準備状況を監視すれば、老後の資金不足は防げる。移行期をどうするかの課題はあるが、公的年金制度全体を軽装備にして、本当に老後の生活資金が必要な人に手厚く給付すれば、国民全体の満足度も高まると思う。企業の年金が、給付額を企業が保証する「確定給付」から、給付額は従業員がタネ銭をどう運用したかによって変わる「確定拠出」に移行するようなものだ。

デスク　給付と負担の関係では世代間の不公平もよく話題になる。

辻「世代間の不公平」を論ずるのであれば、年金制度がなかった時代には、子どもが親と同居したり、仕送りしたりすることによる私的な負担があったこと、現在は昔なかった携帯電話やインターネット、コンビニエンスストア、温水洗浄便座を始めとする生活インフラや、医療・教育・子育て支援などの制度が整い、便利で豊かで快適な暮らしが享受できていることなど、歴史的な生活環境の変化も十分に踏まえる必要があると思う。

前田　私は子どもから世代間の不公平に対する不満を聞いたことがないけれども。生活の利便性が向上すれば、負担と給付のバランスが悪化してもいいという理屈ならば、農村に住む人は都市に住む人よりもお得感がなければいけないよね。名目で議論するのか実質で議論するのかの違いもある。いろいろなことをいって、言いくるめようとするのは、東大論法の悪いところだと思う。

辻　公的年金制度は全ての国民に加入義務を課す社会保険制度なのだから、どうあるべきかについては客観的で精緻な議論が必要だ。負担と給付の比較だけで世代間の公平・不公平を論ずることは極めて一面的で、正確な議論とは言えない。実際のところ、今の高齢世代が「優遇」されているからといって、昔の社会環境や生活インフラの下で暮らしたいと本気で思う若者はほとんどいないのではないか。

前田　別にあってじゃまだというわけではない。金融商品として考えても、つみたてＮＩＳＡや確定拠出年金とはリスクとリターンの関係が異なるから、分散投資の効果も出る。高齢になる前でも、障害で収入減を失ったときの保険になる。ただ、強制的に加入させるのならば、制度の持続性を高めるべきだ。ＧＰＩＦはもっとプロフェッショナルな運用をすべきだ。

辻　公的年金制度は予測できない将来のリスクに対して、社会全体であらかじめ備え、生涯を通じた国民の生活を保障する重要な意義を担ったものであり、現代社会のなかでの円滑な親子関係の維持にも寄与している。それらの価値は今後とも変わるものではない。制度の持続性を高める必要性はご指摘の通りだ。それについては、次節で議論する。

社会保障の財源問題

膨らみ続ける給付額

平川　そうはいっても経済が成長し、税収や国民の社会保険料の負担力が高まらなければ、結局、社会保障制度は財政的に行き詰ってしまう。少子高齢化もコロナ禍で加速しそうだし。

辻　日本の社会保障の総額は約１２２兆円（２０１８年度）であり、その内訳は５５兆円強が年金、約40兆円が医療、約２７兆円が福祉その他となっている。福祉その他のうち約10兆円が介護だ。財源は保険料が5割強、公費、つまり税金が４割弱、運用益などのその他収入が1割弱となっている。

（図表 16）高齢化進み増加の一途

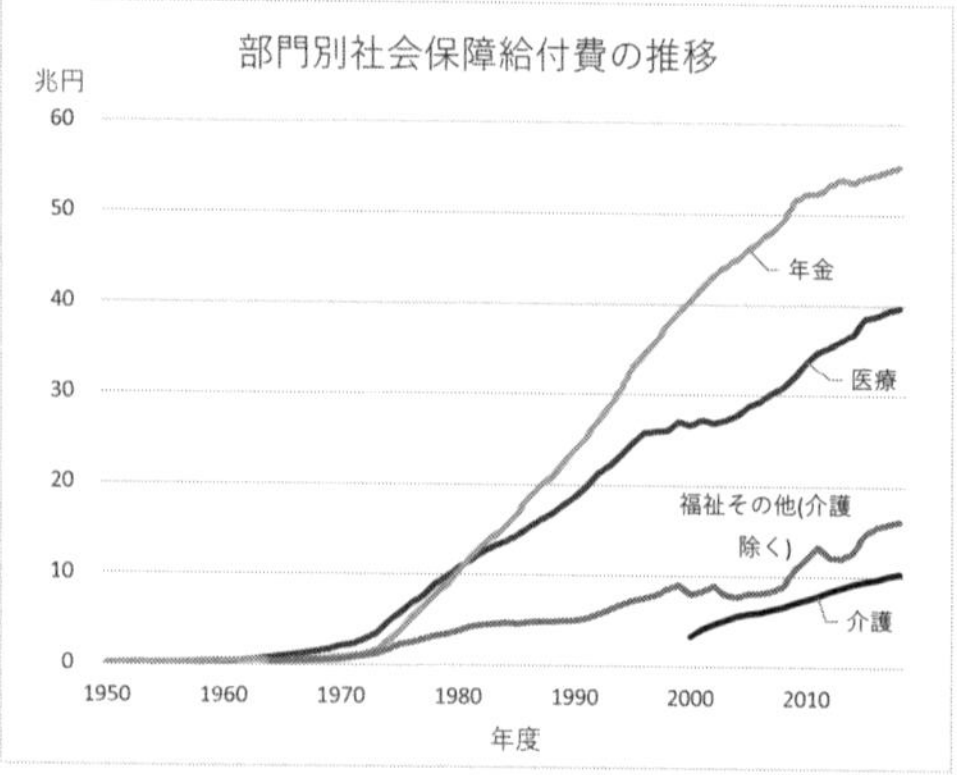

（出所）国立社会保障・人口問題研究所のデータをもとにグラフ化

（図表17）国債発行が歳入の4割強

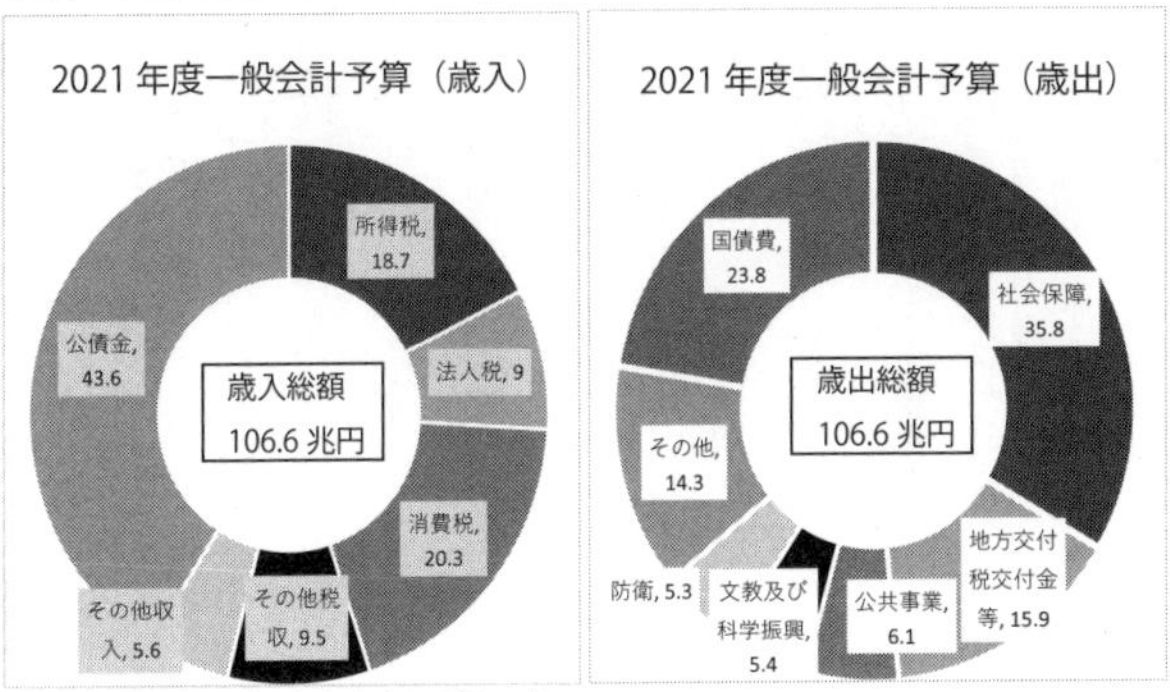

（出所）財務省のデータをもとにグラフ化

平川　人口の高齢化に伴って増えていくような項目ばかりだ。

辻　国家財政を見れば、2021年度予算の歳出では社会保障関係費が35・8兆円（総額の33・6％）、国の借金の返済と利払いのための経費である国債費が23・8兆円（22・3％）、地方自治体の公共サービスが全国どこでも一定水準を維持するよう国が配分する経費である地方交付税交付金などが15・9兆円（15・0％）であり、この三者だけで全体の約7割を占めている。

前田　いつも国の予算を聞いて不思議に思うのは、国債の元本償還と利払いの金額を足して、国債費としていることだ。企業ならば、利払いは経費だけれども、社債の満期償還はその分、負債が減るというだけで、損益計算書上の支出項目には含めない。

辻　日本の財政制度では、国債の償還は一般会計ではなく、国債整理基金特別会計で処理されている。国債費のうち、「国の借金の返済」と言っているのは、国債は60年間で償還するという前提に立って、国債発行残高の60分の1ずつを一般会計から国債整理基金特別会計へ定率繰り入れする経費のことを指している。なぜ60年間かというと、国債を財源として建設・整備している道路、河川、施設などの耐用年数の前提が60年間だからだ。

平川　社会保障関係費は毎年出ていくのですよね。

辻　社会保障関係費35・8兆円の主な内容は、年金給付費（基礎年金給付の2分の1の国庫負担など年金の給付に必要な経費）が12・7兆円、医療給付費（健康保険法などに基づく医療保険の給付に必要な経費）が12・0兆円、介護給付費（市町村の介護給付費に対する国庫負担などの経費）が3・5兆円、少子化対策費（保育の無償化、児童手当など子ども・子育て支援に必要な経費）が3・0兆円、生活扶助等社会福祉費（生活保護、障害者自立支援などに必要な経費）が4・1兆円だ。医療給付費12・0兆円をさらに細かく見ると、国民健康保険3・4兆円、協会けんぽ1・2兆円、生活保護の医療扶助1・5兆円。後期高齢者医療5・3兆円になっている。後期高齢者医療の金額は防衛費5・3兆円や教育関係予算5・4兆円に匹敵する。

平川　政府はこういう数字を出して、どう抑制しようか毎年、議論しているわけだ。しかし、常識的に考えて、放置していても増える経費があるから、その他の削れそうなところを一生懸命探して、削られたら困る関係者を必死で説得しているのではないか。

辻　2021年度予算の歳入を見ると消費税が20・3兆円、所得税が18・7兆円、法人税が9・0兆円など、税収が57・4兆円に達している。歳入総額の53・9%にすぎない。特別会計からの繰り入れなどの税外収入が5・6兆円（5・2%）あるが、その他の43・6兆円（40・9%）は国債の発行、つまり借金によって賄うことになっている。

前田　国債の満期償還が歳出項目に立っているから、国債の発行額が歳入項目に立っている。給与収入が400万円のお父さんが銀行から300万円を借り入れたら、年収は700万円だといっているようなものだ。借りたものはもらったものと同じというような財政運営では、無駄な支出を減らそうという規律が働くわけがない。

辻　先ほど申し上げたように、日本の国の予算は、税収などでは全体の6割しか賄えず、残りの4割は新たな借金に依存しているのが実態で、債務残高の対名目国内総生産（ＧＤＰ）比も諸外国と比べて突出した水準となっている。

前田　国際通貨基金（ＩＭＦ）の統計では、２０２０年の日本の名目ＧＤＰは５６１兆円、政府債務残高は１３１８兆円だから、政府債務はＧＤＰの２５６％だ。主要7か国（Ｇ７）のなかではイタリアの１５５％よりも大きく、世界でもギリシャの２１３％を上回って最悪だ。

辻　日本の財政赤字の原因を見るため、赤字国債を発行せず予算を編成した30年前の１９９０年度と、２０２０年度の国の一般会計の歳出・歳入（当初予算）の内容を対比すると、「公共事業」「文教・科学」「地方交付税」の予算額はほぼ横ばい、防衛費が若干増加の一方で、「国債費」は約9兆円、「社会保障」は約24兆円増大している。２０２１年度は「コロナ禍」に伴う特殊要因があり、比較になじまないため、２０２０年度当初予算で比べたのだけれど。

財源をどこに求めるか

前田　だんだん話が財務省のようになってきた。この話を続けていくと、普通はだからもっと消費税率を引き上げなければならないという話になる。それを言わないのならば、後期高齢者の医療費負担の割合を3割に引き上げろという話にするのか。でも辻さんは第1章で弱者のための政治を訴え、本章では高齢者優遇を表向きの金額だけで批判するのは、一面的だと主張してきた。

辻　弱者に十分配慮した社会保障のあり方を長年にわたって真剣に追求してきた立場から申し上げていることを理解してほしい。歳入面の対比では、税収が1990年度（決算）の60・1兆円から2020年度（当初）の63・5兆円とわずかに伸びている一方で、1990年度にゼロだった赤字国債（特例公債）の発行が2020年度には25・4兆円へと激増している。ただし、実際にはコロナ禍の影響で、2020年度の税収は60・8兆円となった。

平川　コロナ禍の影響で、というのならば、税収は減るのが道理。しかし、60・8兆円は過去最高だ。巣ごもり消費が増え、消費税増税の効果と相まって、消費税収入が想定よりも1・7兆円も増えた。

めでたしめでたしだ。

辻　過去最高といっても、現在の税収とバブル期の頂点だった30年前の税収を比べると、ほぼ同額でまったく伸びていないのが実情だ。１９９０年度と２０２０年度の歳入と歳出を見れば、社会保障の増大分の約24兆円がほぼそっくりそのまま赤字国債の発行の約25兆円によってカバーされてきたことが見てとれる。財政法の原則から、社会保障費は本来、経常的な歳入によって賄われるべきなのに、禁じ手の借金によって賄われる状態が長く続いてきたことが、今日の日本の財政赤字の根本原因と考えざるをえない。

前田　お金に色は付いていないのだから、借金で社会保障費をまかなったような印象を与えるのはよくない。まず法律の規定通り、消費税収入をすべて社会保障に充てたと考えるべきだ。

辻　消費税の収入は、「年金」「医療」「介護」「子ども・子育て支援」の4経費以外の目的に使うことは許されておらず、すべて社会保障の財源に充てられている。２０２０年度に総額で27・5兆円の消費税の収入は最終的に国へ17・5兆円配分され、残りの10兆円が地方に回る。歳出面の国の社会保障

4経費は31・7兆円だから、消費税で社会保障を賄っている割合は17・5兆円を31・7兆円で割って55%だ。残りの45%分は他の一般財源で賄われている。

平川　日本の社会保障は「半分以上を消費税が支えている」というか、「消費税のすべてをつぎ込んでも半分しか支えられていない」というかは一人ひとりの受け止め方だが、いずれにしても消費税は日本の社会保障を支える大きな役割を果たしている。

辻　消費税は1989年4月に税率3%で導入され、その後、1997年4月から5%に、2014年から8%に引き上げられた。2019年10月からは10%に引き上げられるとともに、酒類・外食を除く飲食料品などに対する軽減税率（8%）制度が導入された。日本の消費税と同様の仕

（図表18）消費税率はまだ低い？

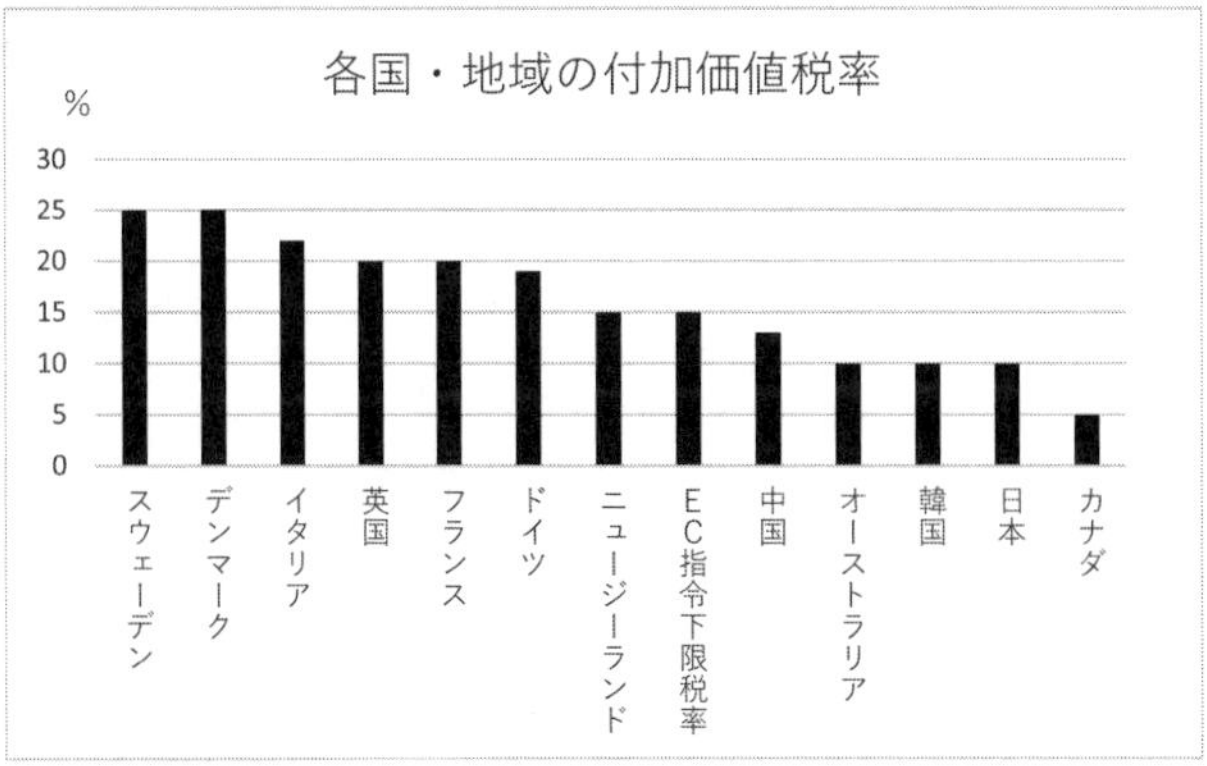

（出所）財務省のデータをもとにグラフ化

組みを持った諸外国の税制は付加価値税だが、それらの国際比較から明らかなことは、日本よりも福祉社会の実現に先んじて取り組んできた欧州・北欧諸国の付加価値税の標準税率は19〜25%と、日本に比べて大幅に高いことだ。これからの日本の社会保障と税のあり方を考えていくうえで、一つの判断材料となるのではないか。

前田　財務省が喜びそうな視点だ。共産党は消費税には所得が低い人の負担が相対的に重くなる逆進性があるから、5%に減税すべきだといっている。辻さんは相対的に弱い立場に立つことを理念として明確に打ち出し、その基本姿勢をいついかなるときにも貫徹し、その理念に基づく政策の実現をめざすのではなかったのか。

辻　トータルとしての国民負担を増やすことが弱者に冷たいととらえるのは短絡的だ。弱者にやさしい社会を実現するには、ある程度「高負担」になるのは、避けられないのではないか。国民負担の求め方にもいろいろな選択肢があり、多様だ。

不安と受益のあり方

中負担・中福祉を目指すのか

平川　分類が必ずしも正しいかどうかわからないが、よく北欧諸国は「高負担・高福祉」と言われ、米国や韓国は「低負担・低福祉」と言われている。

辻　一つの国の国民が課せられている公的負担の程度を国際的に比較する場合に用いられる国民負担率（租税負担率＋社会保障負担率）を国際比較してみると、「自由・競争・自己責任」の精神を国家運営の基本に据え、社会保障面でも「自助・自立」を中心に据える米国の負担率は日本より低位に位置する一方、日本に先んじて福祉社会をめざしてきた欧州や北欧諸国の負担率は高位に位置している。

平川　日本は高度成長期に目指した「高福祉」シナリオがとても実現できなくなり、「中負担・中福祉」などと言われているが、国民は早晩、「高負担・低福祉」になると疑っている。

辻　今日、社会保障の水準が欧州や北欧諸国と肩を並べる程のレベルに達してきた日本で、今後とも社会保障制度を維持していく場合に、国民に対して公的負担をどの程度求めていくのかを考えるうえで、国民負担率の国際比較は重要な視座を与えてくれる。

前田　でも主張の仕方を一歩間違えば、消費税率の引き上げを悲願としている財務省の代弁者になり、国民が窒息してしまうほどの大きな政府を目指すことになりかねない。

辻　決して私は財務省の代弁者などではない。長年、財政、税制、社会保障の政策立案に携わってきた。その経験からの客観的な現状を申し上げている。現状をしっかりと認識したうえで、国民が選択することが大事だと思っている。

平川　でも医療にしても公的年金にしても、これ以上、給付が増えるとは思えない。新薬の開発や医療技術の発達で利用可能になった高度な医療を、海外に比べて相対的に安く受けられそうな期待はあるが。ただでさえ苦しい台所事情をどうするのかを考えると、あまり希望が持てる話を聞けそうにない。

辻　社会保障財源を対ＧＤＰ比で捉えた国際比較によれば、日本の「事業主負担」の割合は欧州・北

（図表19）事業者負担を増やす余地

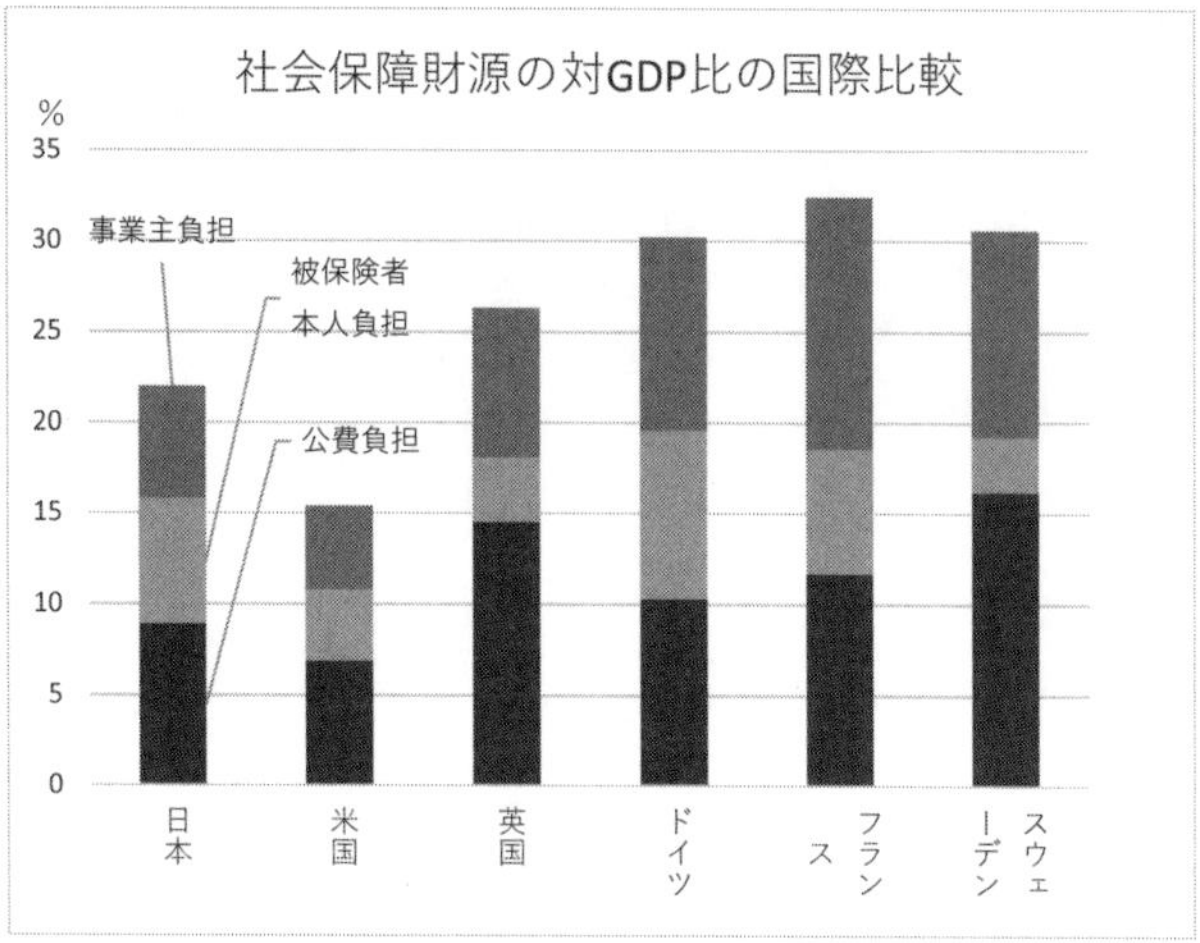

（注）米国は1995年、他は2013年
（出所）厚生労働省資料をもとに筆者作成

欧諸国と比べてかなり低く、日本の「公費負担」（税金の投入）の割合は欧州・北欧諸国と比べて低いことが見てとれる。今後の社会保障財源のあり方を検討するうえで、このことも一つの手掛かりとなるのではないか。

前田　事業者負担が増えれば、企業は従業員を増やすことに慎重になる。同じコストがかかるのならば、外国人を雇おうと考える経営者もいると思う。どこにどんな影響が出るかをよく考えないといけない。

辻　社会保障は国民全体の「幸せづくり」を支える極めて重要な役割を担うものだ。そして、社会保障がその使命を果たし、国民福祉を守り、より豊かな社会を築いていくためには、社会保障を維持・継続していくための財政的基盤の確立が不可欠だ。かつてのように経済の高成長による大幅な税の自然増収には頼れない現状の下で、社会保障財源を確保するためには、国民福祉を大きく後退させない範囲内での社会保障全般にわたる歳出の見直し、税・社会保障にわたる国民負担の見直しという王道で対処するしか道はない。

前田　だから自民党は苦労しながらもそういう政策を進めている。ただ私は２０２２年４月から60～64歳で給与収入がある人に適用する低所得者在職老齢年金の見直しには大反対だ。65歳未満に支払う特別支給の老齢厚生年金は、段階的に支給開始年齢が引き上げられていて、男性は１９６１年４月２日以降生まれ、女性は１９６６年４月２日以降生まれには支給されなくなる。今回の措置で臨時ボーナスのように最高年１１４万円の年金が支給されるのは、１９５７年４月２日から１９６１年４月１日生まれの男性と、１９５７年４月２日生まれから１９６６年４月１日生まれの女性に限られる。女性は多そうにみえるが、対象年代の全員ではなく、現役時代に企業などで男性並みに働いてきた人だけだ。年金財源も苦しいのに、こんな対象者が限られた不平等な恩恵を特定の年代の人だけに与えるのは、まともな施策ではないと思う。

競争促すか縮小均衡か

辻　少子高齢・人口減少社会のなかで、今後の社会保障のあるべき姿が新たに問われている今日、社会保障の内容と現状、その意義についての国民的理解と合意の下に、答えを見出していかなければならない。決して易きに流れることなく、社会保障制度の現状や財政状況を十分に踏まえた国民的議論のなかで、これからのあるべき姿が追求されなければならない。日本の社会保障がしっかりとした財政基盤の下、時代の荒波を乗り越え、力強く前進し続ける体制を確立することが私たちに求められている。

前田　消費税率を引き上げ、社会保障費の事業者負担も引き上げ、後期高齢者の医療費の自己負担割合を引き上げたうえで、低所得者には補助金を大盤振る舞いするということかなあ。もっと日本経済が力強く成長できるような基盤を整えることが優先のような気がするけど。

平川　貧富の格差が拡大するなかで、社会保障制度にも受益と負担の関係など、新たな角度からの改革が求められるのではないか。

島崎　企業の付加価値の源泉が単純労働ではなくアイデアや特殊技能になれば、そうした能力を持つ人とそうでない人との賃金格差は広がる。かつてのように同じ職場に集まり、同じ時間働くのとは異なり、労働の場所や時間はあまり意味を持たなくなる。経済のグローバル化で資本や労働といった生産要素が国際競争にさらされるため、国内外の格差も拡大していく。格差は社会の分断を招く最大要因であり、ポピュリズムの温床である。それを防ぐためには、労働政策や経済政策のほか社会保障政策においても必要な所得再分配や社会的包摂を進めることは大切だと思う。

辻　生命・医療・労働・安全・衛生・環境などの領域での規制は、人間存在の基本にかかわるいわゆる社会的規制だ。こうした領域での無原則な規制緩和は人間の幸せをもたらすものではない。昨今は現在の医療をはじめ、社会保障や雇用労働などの制度の根幹を守ろうとする論者に対して、規制緩和論者が「抵抗勢力」の烙印（らくいん）を押すのが常だが、これは正常な姿なのか。

前田　既得権益をむやみに守ろうとすることをけん制しているのであって、社会のセーフティーネットを崩すことを求めているわけではないと思うが。

（図表 20）世界は年率８％で上昇

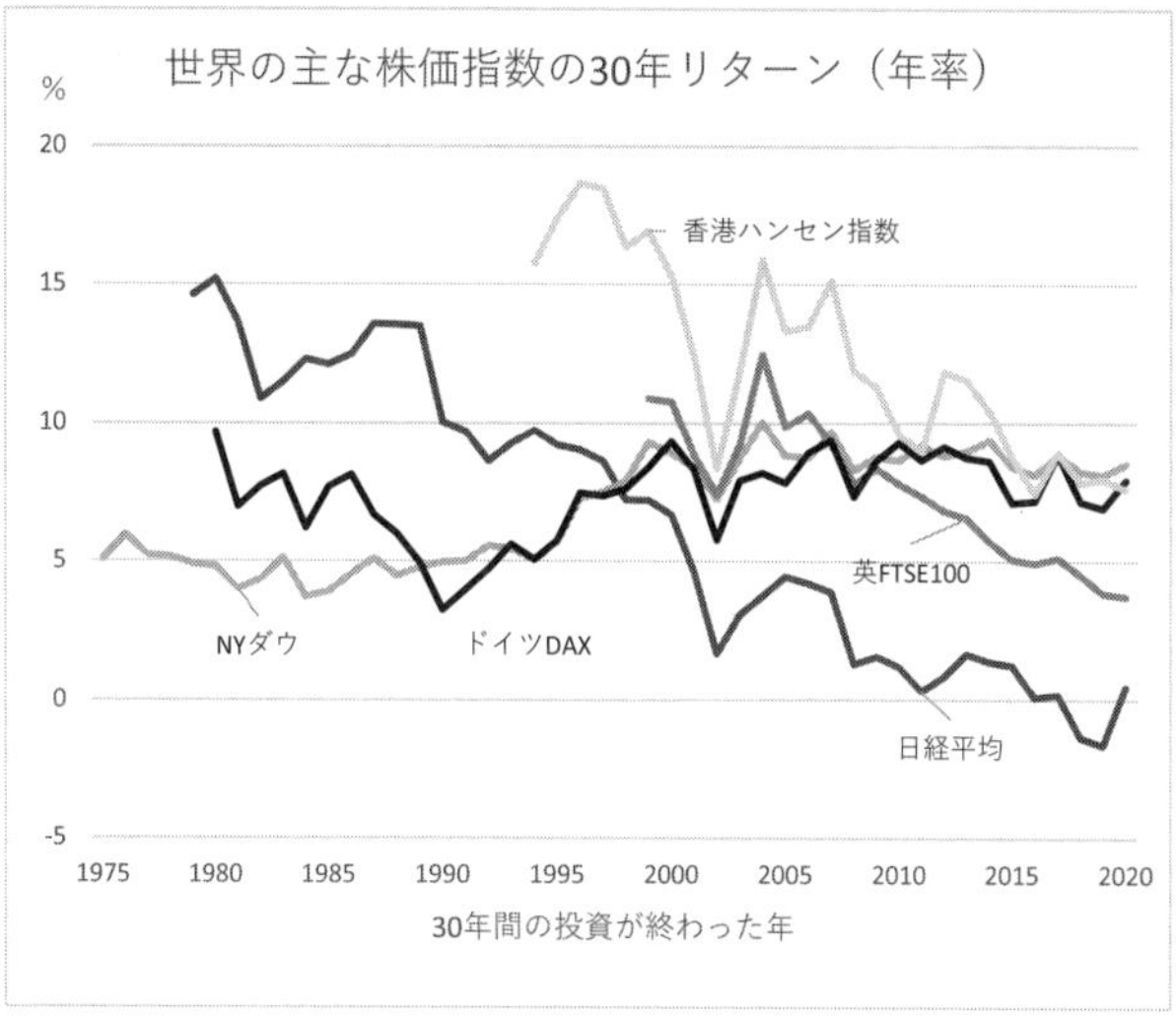

（出所）各種データベースから長期収益率を計算し、グラフ化

辻　これまで先人の英知と国民全体の努力で築き上げてきた社会制度の根幹を維持しようとすることは極めて当然だ。いいものを悪い方向に変えようとするほうをこそ「破壊勢力」と呼ぶべきではないか。「経世済民」。競争を原理とする経済も、本来の目的は「民を救う」ことにあることを忘れてはならない。

前田　子どもを育てるときも甘えさせてばかりいたら、厳しい世の中を生き抜く力を持つ人間には育たない可能性がある。円高になったら困るからマイナス金利を含む超金融緩和策を講じましょうとか、株価が下がったら困るから上場投資信託（ＥＴＦ）を買いましょうという政策が、企業の中長期的な成長に役立ったのか。日本と米国とドイツと英国と香港の「過去30年間の株価上昇率」がどう変化してきたかのグラフをみてほしい。

平川　何を言いたいのか。

前田　たとえば2020年のところは、2020年に至る30年間、つまり、1991年から2020年までの株価上昇率が年率何パーセントだったのかを示している。ゼロ近辺なのは日本だけ。英国はやや低下基調だけれども、米国もドイツも香港も長期的に8％前後で推移している。経済は「経世済民」だといっても、まずは成長・発展させなければ、成果を国民に分配しようにもできない。政治家はこうやって日本を成長・発展させたいのだというビジョンを語ってほしい。金額的な格差の拡大を通じて、国民意識の分断が広がるのを止めてほしい。

辻　もちろん新自由主義に依拠する政治勢力の存在とそれに基づく政策運営のすべてが悪いと断ずることはできない。選挙のプロセスを通じて国民の負託を受け、合法的に選ばれた政権政党が「強者の論理」に基づく政治・政策を行うことは、民主政治の具体的な姿であり、否定すべきものではない。

前田　いろいろな思いを持って生きている人がいる。セーフティーネットがなければ、誇りさえ失ってしまうかもしれない。でも日本にはまだジャパニーズドリームを語る余地もある。米国は学歴を親がお金で買う社会になった。高いお金を出し、いい教育を受けられる地域に住み、高い居住コストを払い続け、ときには教育機関に多額の寄付をするような親でないと、将来が約束されるような大学にはまず入れない。日本の野党にやることがあるとすれば、こういう社会にしないように頑張ることだ。

辻　人間も動物である以上、弱肉強食の論理が支配する動物界の属性は免れないかもしれない。人間の社会で「強者の論理」「競争原理」が幅を利かせることが、自然の摂理にかなっている面があることは否定できない。しかし、新自由主義に基づく競争原理を重視する政治・政策によっては、万人の幸せをはぐくむ理想的な社会を築けない。自民党だけでいい社会は作れない。自民党だけでみんなの幸せは作れない。「強者の論理」を基本とする自民党の偏った政策に歯止めをかける政治の機能は必要であり、多くの国民が求めていると思う。

第5章　半生を振り返って

人生と仕事

社長になる・政治家を目指す

平川幸子　同窓生はまさにさまざまな職歴を持っている。第2章では企業戦略の観点から金融業界とメディア業界を取り上げたが、本節では仕事にどう取り組んできたかの話をしたい。新宅さんは終身雇用双六の上りで医療機器大手のテルモの社長になったではなく、転職を経験して社長になった。社長にはどんな資質能力が必要なのか。それはどのように身に付けたのか。

新宅祐太郎　いいタイミング、いい人に恵まれることが一番かな。実力は後からついてくるような気がする。自慢じゃあない。社長になる人の条件、第1は業績でしょ。みんなから好かれているけれど、「無能」じゃあ会社が潰れ、社員も株主も激オコだ。業績を上げる資質とは何かだけど、まずは業績や数字に対する情熱だと思う。自分ではサイエンティフィックなことしか情熱を感じない人間だと思っていたけれど、事業責任者になってみると意外と業績に情熱を感じて、第2の自分を発見したような気がする。情熱があれば、勉強、努力もできる。多くの人は、その順番を逆に考えて、人生を無駄にしているかもしれない。独断だが。

平川　学生のころから政治家になりたいといっていた辻さんは、実際に政治家になって、想定通りだったか。

辻泰弘　学生時代に「政治とは、情熱と判断力の二つを駆使しながら、固い板に力を込めて少しずつ穴を開けていく作業である」というマックス・ウェーバー（ドイツの社会学者）の言葉に深く感銘したが、その後の私の人生は、実質的な自民党の一党政治に少しずつ穴を開けていく作業に取り組みながらも、穴を開け切らず、志半ば以前の状態にあるといわざるをえない。

前田昌孝　平日は東京にいて週末に地元に帰り、週明けに再び上京する。本当にすごいエネルギーだと思う。私の取材先では経済理論に詳しく学校の先生みたいだった佐藤ゆかりさんが２００５年に衆院議員に転じたのは、本当にびっくりした。そんな情熱を持っている人だとは想像もできなかった。

民主党の参謀として高速道路無料化を唱えた山崎養世氏は、２００２年に徳島県知事選に出馬して落選したけれども、元外資系運用会社の社長だ。会社の後輩では２０１３年に三宅伸吾氏が香川県から参院選挙に出て当選したけれども、世の中を何とかしたいという思いを持つジャーナリストはときどきいる。何かを成し遂げたいという思いを強く持っている人たちばかりだ。

辻　率直なところ、自民党に対峙する政治勢力の結集にはもっと時間をかけ、もっと丁寧にやりたかったという思いが残る。にわか作りで未熟なままに政権を担った「民主党政権」の残影によって、「いろいろ問題があっても自民党のほうがましだ」「野党に日本は任せられない」という評価を定着させてしまった観があることは痛恨の極みだ。拙速を戒め、地道な努力を積み重ねるしかないだろう。

平川　まだ過去形で語らないでほしい。政治家には定年がないのだから、情熱が続く限り、自分の思いを主張し、世の中に影響を与え続けてほしい。

辻　われわれは先人から、「貴方の意見は私と違う。貴方の意見に私は反対だ。しかし、貴方がその意見を言う自由は、私が体を張ってでも守る」という気概と精神が大切だと教わってきた。私はそれが当たり前のことだと思ってこれまで生きてきた。しかし、最近の日本の政治や社会では、そんな精神が顧みられなくなっていないか。諸外国でも怪しい風が吹き荒れている。改めてその意義・価値を認識し直し、心に宿す必要がある。

前田　金銭的な格差の拡大よりも、国民感情の分断が心配だ。教養学科の出身者ならば、幅広い意見を包含しながら前に進む度量と才覚を持っていると思う。失敗もあるけれども。

辻　教養学科で教わったことは、「民主主義とは、アプリオリに何が正しいかを決めることなく、常にフィードバックの機能を持たせながら物事を進めていくこと」だった。その言葉を、皆さんとともに噛みしめ、これからも考え、行動していきたい。

平川　選挙に勝つには、何が必要なのか。

前田　本当はいろいろと苦労された辻さんの話を聞きたいのだけれども。例えば衆院選挙ならば小選挙区で一人の議席を争うわけだから、まずは「この人に政治を任せたい」と有権者に強く思わせなければ、ダメなのではないか。人間的にも、政治的な主張の内容も。風が吹くことも重要だと思う。もう自民党はこりごりというムードだった２００９年に自民党から出ても、ダメだっただろうけれども、同じ人が２０１２年12月の選挙で出ていたら、たぶんＯＫだろう。党の事情もあるかもしれない。例えば、今、女性の所属議員を増やして、党勢をアピールしたいのだという局面だと、党の公認争いでベテランの男性議員が後塵を拝することもありそうだ。

平川　今も昔も「選挙に負ければ、ただの人」と言われる。職業としては割に合わないのではないか。

前田　でも立派な政治家は国の基本を変えるような仕事ができ、後世に名が残る。金銭的な意味ではないが、高リスク・高リターンの仕事だと思う。それに、真剣に努力をしていれば、その姿は選挙民が見ている。どんな職業だってその分野での一角の人物になるためには、恐ろしいほどの努力が必要だ。オリンピックやパラリンピックを見ていて、勝った選手からも負けた選手からも、際限ない努力の跡を感じた。その裏には「アヒルの水かき」のような努力を人知れずに続けている膨大な数の選手がいるだろう。努力を見てもらえるだけでも、政治家は幸せな仕事だと思う。実力を世に認めてもらうのはたいへんだが、他の仕事も抜きん出ようとすれば、同じことではないか。

終身雇用ルートから外れる

平川　勝又さんは大学卒業とともに超優良企業の日本興業銀行に就職したが、その銀行がなくなり、終身雇用ルートから離れることとなった。どう感じたか。

勝又幹英　興銀に就職したときには、自分が定年前に転職すること、ましてや興銀自体が組織的に消滅することなどは想像さえしなかった。私は1999年8月のみずほグループ設立の発表と同時に退職したので、一つの大きな時代の波が動いたな、という実感があった。

平川　今から振り返れば、華麗なるプロフェッショナル人生の始まりともいえるかもしれない。普通は家族が心配するが、勝又さんはあちこちから引っ張りだこだったと思う。

勝又　結果的にメリルリンチ日本に転職したが、実はメリルからは興銀のニューヨーク支店駐在を離れた1997年2月に、先方のニューヨーク本社採用のオファーがあった。けれどもすでに日本では金融危機が始まっており、本店審査部への移動内示があり、とても自己都合で戦線離脱できる状態ではなかった。自分を育ててくれた興銀が生死の瀬戸際にいるのならば、最後は興銀マンとして潔く死のうと思って、そのオファーは丁重にお断りした。

前田　今の基準で言えば、興銀のガバナンスはどうなっていたのかという話だけど、日本の金融システムを作り、証券化を先導していたような銀行だから、瀕死の状態だというのは信じられなかった。1997年11月の山一証券の自主廃業決定とは別格の驚きだった。

勝又　採用オファーを断ったときに、メリルの幹部が「わかった。気の済むまで興銀に尽くしてくれ。でももう転職してもいいときになったら、自分にまず連絡しろよ」といってくれたのはありがたかった。結局2年半も待たせたが、米系インベストメントバンクにもけっこうウエットなところがあるのだなと感心した。

平川　小嶋さんは会うたびに違う仕事をしていた印象がある。多芸なのだろうか。どんなスキルを身につけてきたのか。

小嶋英二　新卒で就職した会社を含めて在籍した会社数が7、現在自分で立ち上げた8つ目の会社に勤務している。われわれの年代としては多めだと思う。教養学科卒業生は他学部学科と比べて多様な業界に散らばるとはいえ、ほとんどが日本のエスタブリッシュメントに組み込まれていく。自分も一応、大会社に勤めてみたが、目新しもの好きの性質が頭をもたげたせいで、情報技術（IT）職に就いてしまった。卒業時には思いもよらない職種で、居残っていても役員に登り詰める道から外れるポジションでもあった。その代わり、人材の流動性が高い職種なので会社に縛られず、より充実したポジションを求めて転職する自由を得ることができた。

平川　同窓生には私も含め、東大入学時には理科系の課程を選択しながら、専門課程進学時に教養学科を選んだ人も多い。多くは卒業後、文科系の職種に付いているが、小嶋さんは数少ない理科系職種だ。

小嶋　1980年ごろは現行銀行システムの基盤となる第3次オンラインのプロジェクトが始まりつつあり、各業界が汎用機による各種業務基幹システムの構築に動き、システムエンジニア（SE）やプログラマーの慢性的不足が嘆かれていた。未経験者に社内教育を施し、にわかに戦力化していた。私はコンピューター製造も含む総合電機のIT部門が振り出しだった。以来、ITを買って使う側（いわゆるユーザー側）2社で25年間、開発したり導入コンサルティングしたりする側（供給側）5社で10年間働いた。そのなかで外資系は3社だった。第3章ではそんなキャリアから、日本のＩＴの競争力に関して、思うところをお話しした。

前田　私は記者として新聞社に入ってから基本的にずっと同じ仕事で、２０２２年1月に65歳の誕生日を迎え、お役御免になる。１９９７年からは基本、編集委員の肩書で仕事をしてきた。それは専門記者として当然だけれども、同僚には「部長」「局長」「役員」「社長」と管理職のコースでどんどん出世する人もいて、人生への自信もみなぎっていた。「私を評価するのは会社ではなく読者だ」と思い続けてきた。

平川　人生に運不運は当たり前。出世競争ではすべての人が勝者になることはありえない。自分が置かれた状況のなかで最善を尽くせば、それでいいのでは。前田さんが書く本はすごい売れ行きらしいよ。不遇に負けないためには、幼少時からの家庭で培われた自己肯定感、地位ではなく人として付き合えってくれる友と家族、会社や地位を相対化できる柔軟な価値観などが必要だと思う。

前田　私は専門職としての矜持を話したつもりなのに、なんで不遇だという話になっちゃうの。一般論で言えば、日本はあまり専門職に報いる社会ではない。日本学術会議のメンバーの人選を、よくわからない基準で決めるなんて「いやな社会だ」と思う。ジョブ型雇用が広がれば、専門職として生きようとする人が増えるかもしれない。しかし、専門知識の価値を理解する上司ばかりではないから、自分の価値は自分で判断するクセを早く身につけたほうがいい。

世界を駆ける商社マン

平川　中沖さんは総合商社に就職した。

中沖保　富山の農家に生まれ、小さいころから海外に憧れがあった。総合商社で約３９年勤務した経験や感想をお話ししたい。すべてを自給自足できる国・地域はないので、貿易はなくならない。メーカーもトレーディング部門を作り、直取引をやっているが、総合商社とは世界のネットワークが違う。もっとも近年商社は薄口銭の貿易よりも、リスクテイクしてでも事業化を推進する経営に方向転換を目指している。リスクリターンのとらえ方や事業の運営・経営感覚がカギを握ると思う。商社にはますます「人材」が重要になる。人材が確保できる限り、商社機能はなくならない。

前田　中沖さんが勤めた三菱商事とは違うが、１８７６年に誕生した旧三井物産は１８８０年までに海外主要都市に支店網を整えた。当時、日本人が海外に行くと「日本は知らないが、三井物産ならば知っている」といわれたと聞いた。今でも潜在顧客がいるところ、まずは商社が入っていき、その後にメーカー、最後に銀行という感じではないか。

中沖　湾岸戦争のとき、１９９０年9月の救援出張の一番手で、当時イラクと接触できる唯一の国のヨルダンに入った。人質がどこにいるか、バクダッドといかにして連絡とるか、救援物資をどうやって送るかなど、情報量の点では外務省を圧倒していた。びっくりしたが、出張前夜遅くに2組の人質家族が私の家に来て、御主人の持病の薬や好きなお菓子をダメもとでいいからと託送を頼まれたことが懐かしい。すべて本人に届いていたこともあとでわかった。

前田　湾岸戦争よりも前、教養学科の同窓生の名簿を作ったときに、中沖さんの勤務地がアンマン支店だったのを覚えている。たいへんなところで仕事をしているのだなあと感じた。

中沖　1983年から1986年までヨルダンのアンマンに駐在した。初めての駐在だったし、まだ新婚だった妻も中東独特の雰囲気に悩まされた。アラビア語でインシャラー（神のみぞ知る）、ブクラ（また明日）、マーレシュ（気にしなさんな）の頭文字を取ってIBMと呼ぶ習慣がある。でもだんだんと現地生活に慣れ、年数回のヨーロッパ・地中海旅行も楽しんだ。キリスト教徒も約1割いるので、アルコールもOKだった。当時ウイスキーの価格は日本の3分の1ぐらい。仕事は主に肥料原料（リン酸・カリ）の輸出業務で、ヨルダンは今でも世界トップクラスの輸出国だ。貴重な外貨獲得産業で、国王ファミリーや政府要人とも会えた。

前田　でも大国が勢力争いで角を突き合わせているし、何かがあれば戦火が広がりそうなところだ。商社の社員だから、あちこちに動かなければ仕事にならなかっただろうし、気苦労も多かったのではないか。

中沖　ヨルダンは当時からパレスチナ難民、そして今もシリア難民の問題を抱えており、日本人には縁遠い宗教・紛争・国境という概念を意識せざるをえなかった。ヨルダン川・死海の向こうはイスラエルで、当時は中東戦争のなごりもあり、国境には鉄条網が引かれていて、対岸には機銃付きのイスラエル軍のパトロールジープも見えた。

平川　地図上は隣国のイスラエルにも出掛けたのか。

中沖　イスラエルには2回行った。特殊ビザを申請し、パスポートにダビデの星スタンプを押されないようにしないと、アラブに再入国できなくなる。敬虔なカソリック信者だったフィリピンの肥料会社一家が任期を終えて帰国する直前、エルサレム行きを願ったのだが、申請に1週間ほどかかるためにかなわなかった。どうしてもかの地が見えるところに行きたいと頼まれ、マダバの丘から夕陽の沈むイスラエルの山を眺めたことがある。山の向こうがエルサレムだと説明すると、一家全員でポロポロと涙を流していた。

ヨルダン西部のマダバ近郊にあるネボ山から、晴れた日にはエルサレムを望むこともできる（写真はトリップアドバイザー）

平川　イスラエルには高級リゾートもあって、日本から直接、遊びに行く人もいる。

中沖　エルサレムの旧市街地には嘆きの壁（ユダヤ教）の丘の上に黄金のモスク（マホメット昇天の地）があり、その近くに聖墳墓教会（ゴルゴダの丘、最後の晩餐の場所）が建っている。まさしく聖地の集まりで、対立のピリピリ感もあるが、「宗教」を感じざるをえない。でも出入国カードの宗教欄には仏教（ブディズム）と書くが、私も含め、日本人はお経の一つも唱えられない。考えようによっては情けないよね。

前田　中沖さんにとって、ヨルダンは職業人生の原点の地かもしれない。私は中東へは一度、アラブ首長国連邦（ＵＡＥ）に出張したことがあるだけだけれども、そこで移民の建設労働者を束ねて大規模プロジェクトを動かしている日本人指揮官に、夜のドバイを案内してもらった。日本の本社から遠く離れたところで、こんな人が汗にまみれて頑張っているのかと感銘を受けた。

中沖　その後の人生に大きな影響を与えたヨルダン時代のエピソードを一つお話ししたい。駐在して間もなくのころ、連日お客（日本・外国・現地）との会食（当時外食できるいいレストランが少なく、支店長宅や自宅での接待が多かった）が続き、二日酔いだった。不機嫌な私を朝、迎えに来た会社のドライバー（パレスチナ人、モスレム）が疲れた私を見て、「元気なさそうだけど、中沖さんは毎朝起きたら神様に感謝しているか」と大声で問われた。私はうるさいな〜と思っていい加減にノーと返事したら、彼が「われわれは朝起きて目を明けられたら、真っ先に神に感謝する。また新しい1日を迎えられたと。寝ていて死んだら朝も来ないし、病気だと目も明けられない。無事一晩越せました、生きながらえました、アルハンドレッラーと自然に口から出てくる」という。衝撃的だった。貧しいドライバーのひとことが。

前田　朝の感謝か。「アレクサ、おはよう」と声を出すと、照明とテレビとエアコンのスイッチが入る設定にしているのだけれども、「アレクサ、ありがとう」に設定を変えようかな。すみません。話の腰を折って。

中沖　忙しさにかまけ、惰性に流され怠惰な生活を送っていると、生の喜びという人間の道理も忘れてしまう。生きていることを毎日実感する、「生」への感謝の気持ちを彼から教えられた。彼は難民としてパレスチナを追われ、厳しい生活を強いられたことだろう。それでも彼は必死に生き、決して豊かでない生活のなかでも生きる喜び・幸せをかみしめているのに比べ、何と自分は不純で不遜だろうか。これからはどんな状況にあっても、生きている実感・喜びをかみしめていこうと決めた。この誓いがその後、何度も苦境に立ったときに、苦しくても頑張ろう、生きていれば何かいいことがあると強く後押ししてくれた。コロナが明けたら、久し振りにヨルダン旅行をしよう。

平川　他にはどんなところに駐在したのか。

中沖　１９９６年から１９９９年にかけて、台湾・台北に２回目の駐在をした。半導体向けを含め、機能性化学品の取引が立ち上がってきた時代だった。お客や出張者が増え、会食・飲み会が増え、体重もあっという間に増えた。台湾の中華料理は世界一、トロピカルフルーツもおいしいし、台湾人の親日感がうれしかった。家族も台湾ファンになり、コロナ前は家族でしょっちゅう遊びに行っていた。

前田　本当に不思議な魅力があるところだよね。私は観光旅行をしただけだから、表面的なことだけしか知らないのだけれども、商社の駐在員でも気持ちよく過ごせたのならば、本物なのだろう。

中沖　１９９６年は中国からのミサイル騒動があり、富山の両親からは「中東に続き、なぜそんな危険な場所に行くのか。欧米駐在に替えてもらえないのか」と心配された。でもこのころから商社の取引は対欧米より対アジアが増え、アジア駐在員も増えていった。化学品グループのなかでも台湾取引が大躍進した。仕事もプライベートも充実した駐在生活だった。

前田　今では半導体の受託生産では台湾積体電路製造（ＴＳＭＣ）が技術的にも数量的にも世界をリードしていて、この会社の半導体がないと、最先端のハイテク製品は作れないと聞く。何が台湾をここまで押し上げたのか。

中沖　ある中堅企業のオーナーが語った言葉が印象的だった。中国と比べると台湾は小国で軍事・経済的に対抗するのは難しい。何とか経済の高度化や外交テクニックで時間を稼ぎ、自由で民主的な国情を中国の国民に見せつける。情報化が進み、中国でもいろんな世界情報を得られるようになる。上海万博や北京五輪を通し、世界と交流が広がれば他の国と比べると自由のない自分達に気づくだろう。こうして大多数の市民がおかしいことに気づけば、武力でも市民運動を止められなくなり、中共は内から瓦解していく。台湾はそれまで現状維持のままじっとしている。相手が先に崩れてくれるまで待つのだと。

前田　コロナ禍が問題になり始めた２０２０年初め、台湾は真っ先に中国との往来を閉ざし、新型コロナウイルスの感染が島内に広がるのを防いだ。この情報力はすごい。中国国内で何が起きているのか。完全にわかっているような印象だ。

中沖　台湾大手企業の会長が話していた。国家資本をドーンと投入する中国の国営企業には規模では敵わない。台湾民間企業は小心で、まずは手持ち資金の3分の1を投下して製造業を始める。儲からなければそこで止める。早めに撤退すれば損も少なくて済む。市況を見ながら儲かれば次の3分の1を拡大生産用に投下。最後の3分の1はファミリー・社員のためにも取っておくと。機を見るに敏な経営手腕、慎重なリスク管理の術を垣間見た。

前田　日本にはサラリーマン社長も多いが、事業が大きく伸びているのは、ファーストリテイリング、ソフトバンクグループ、日本電産、ニトリなどオーナー系の会社が多い。台湾企業の経営者には日本で名を知られた人もいるが、台湾にはオーナー系の企業が多いのか。

中沖　奇美実業の会長は自分を育ててくれた台南の田舎町への恩返しに、私財で工場横に立派な美術館を作り、世界レベルの芸術品を調達して無料開放している。いつ行っても子ども達でいっぱいだ。世界中から貴重な動物を集め、動物園を作る計画もあったが、さすがに暑い台湾で維持管理するのは難しく、世界最大級の剥製動物園を作ってこれも無料開放した。台湾にはこうした社会貢献に努める名士が多い。

前田　でもこれからは難しいのだろうね。中国の習近平国家主席は7月1日の中国共産党創立100周年記念の式典で「台湾問題の解決と祖国の完全統一実現は党の歴史的任務だ」と演説した。米国がけん制すれば、中国はもっと動く。2022年の北京冬季五輪を終え、香港問題を片づけた後にどう出てくるか、予断を許さない。

中沖　私が駐在していた当時は、まだ内省人と外省人の対立・線引きが強かったが、李登輝総統以降ずいぶん薄まり、共通の「台湾人」意識が強くなった。米国・中国にノーと言えない日本とは大違いで、小国だけど台湾には今の中国にはない自由と民主主義がある。これまでは北の北京を避け、華南との関係を深めてきた。地縁・血縁の強い華南を中心に進出企業も多い。ただ、肝心の香港が死に体となった今、台湾もより難しい対応を迫られる。

デスク　日本の国際化戦略を語る第6章で再び触れたいが、日本企業のサプライチェーンの一翼を担っている面もあり、目を離せない。

中沖　台湾の生き残り戦略を語ってくれた中堅企業のオーナーも亡くなったし、最近の中国の強硬策を見ると、台湾も持久戦だけでは難しく、日本や欧米の介入・支援を得たいところだろう。日本にとっては中国も重要な隣人だ。この台湾危機に日本はどう対応すべきか、重大な決断を迫られる。一個人としては微力だが、台湾ファンとしてこれまで以上に応援していきたい。中国にも知人がいて今も交流が続いているし、中国古典や中国映画も大好きだが。

官僚キャリアの仕上げ

平川　清水さんは官僚としてのキャリアの最後にギリシャ大使をして、どんなことを学んだのか。

清水康弘　日本では、従来は外務省のキャリア外交官が大使になるのが慣例だった。現在では2割程度の大使ポストを外部大使とし、民間や他省庁の出身者を任命している。大使会議などでの発言を聞いても、外部大使には能力の高い方が多く、日本外交にとってもたいへんいいことだと思う。私自身は若いころに在米日本大使館に勤務し、その後も温暖化条約交渉や海外プロジェクトにかかわる経験があったので、違和感なく大使の仕事をできた。

平川　でも赴任したギリシャは経済的には困難を抱えた国だ。いろいろと神経を使うことも多かったのでは。

清水　ギリシャの債務危機は私が赴任していた2018年には終了し、現在はEUの中でも高い成長率が予想される国になっている。日本では、ギリシャ人が怠け者であったり、官僚比率が高かったりすることが、経済危機の原因というような間違った風説が流れているが、そんなことは全くない。ギリシャの経済危機は、EU全体の経済政策の矛盾が弱い鎖の輪であるギリシャで噴出したという側面がある。ユーロの通貨統合によって、EUでは金融政策は統合されているが、財政政策は各国政策に任されている。ギリシャの一件を通じて、EUも多くのことを学んだと思う。EU復興基金に代表されるように、EU全体の経済政策の調整機能が強化されたのはよかった。

平川　ギリシャはオリンピック発祥の地で、東京五輪の開会式でも、最初に行進する国として注目を浴びたが。

清水　大使中の印象深い出来事は、東京オリンピックの聖火の採火式と聖火の引渡式だった。コロナ禍のなか、なんとか日本に聖火を引き渡すことができて、ホッとした。ギリシャは古代オリンピック発祥の地で、多くの遺跡が残っている。エーゲ海の島々はすばらしいリゾート地でもある。コロナ禍が収まったら、多くの日本人にも訪問してもらいたい。ギリシャにはフィロクセニアというおもてなしの精神がある。フィロは「愛」、クセニアは「異邦人への」という意味だ。古代から旅人をもてなす伝統があり、外国人にとって非常に住みやすい国だ。大使としても苦労は少なかった。

エーゲ海に浮かぶギリシャ・サントリーニ島の絶景（写真 AC）

家庭と結婚生活

離婚するか否か

平川　男子東大生は女子大生に大もて、就職後も花嫁候補の職場の花に囲まれ、見合い話もより取り見取り、皆様、華やかな独身時代を過ごしたのではないかと思う。しかし、結婚すると、なかなか思うようにはいかない。今にして、後輩に恋愛や結婚の指南をするとすれば、どんな助言をするか。

内海健司　「アンナ・カレーニナ」の冒頭は「幸せな家庭というのはどこも一様であるが、不幸な家庭はそれぞれ様相が異なる」と書かれている。家庭を結婚に置き換えてもいいと思う。要は個別の理由があり、一般化できない。もしアドバイスするなら昔から言われている諺、「結婚をする前は両眼を大きく見開いて相手を見よ、結婚した後は片眼をつぶって相手を見よ」。それでも我慢できないなら、相田みつをの「人間だもの」を3編唱えてさいころを振って、離婚するか否かを決める。

前田　「人間だもの」というのは、「つまづいたっていいじゃないか」で始まるおまじないのような詩のことか。心に響く作品を多く残した相田さんは60歳で「にんげんだもの」を出版し、私たちよりもちょっと長い67歳で生涯を閉じたのだよね。

平川　昔、風邪で体がつらい妻が夫に電話をかけたら、「晩飯は外で済ませてくるから大丈夫」というコマーシャルがあった。実際、日本の夫にはこういうのがいる。こんな男と結婚しなければいいのだが、結婚してしまった場合、どうしたらいいのか。

内野淳子　結婚に対する価値観や求めるものも多様化している。結婚相手について重視した部分で納得して結婚したのであれば、それ以外の部分で相手に欠点があるのは仕方がない。結婚生活のなかで、相手にしてほしいこと、してほしくないこと、それは自分にとってどういうことだからそうなのかをお互いに話し合って理解しようとし続けることが結婚生活なのだと思う。結婚して何十年かすると、お互い経年変化し、それを受け入れられるかどうかは、それまでの結婚生活の経過次第だと思う。

平川　最近の若い人は恋愛ドラマに出てくるような素敵な人と大恋愛の末に結ばれるのが結婚と思っているようだけれど、そんなことは現実にはない。幻想を抱いていたら、結婚なんか一生できない。私は離婚した。学生に「先生、どうして結婚したのですか」と聞かれると、「勢い」「なりゆき」「誤解」

と答えてきた。ただし、結婚するのならば「返品可」の状態を保てと。つまり、離婚しても子どもの養育には最後まで責任を持ち、自分自身の老後も含めて経済的に困らないようにせよと。私のゼミ生（日本人）の結婚率は男女を問わず、なぜかかなり高い。

前田　私たちが学生だった時代から、東大女子は独身や離婚が多いと言われていて、実際に同窓生もそうだけれども、今でも変わらないのかなあ。芸能人にも離婚が多いし。独りでも食べていけると考えると、男女の共同生活なんて意味がないということか。

平川　相手が嫌いでたまらないのに、経済的、社会的な理由から離婚できないことほど人を傷つけることはない。努力はたとえ実らなくても人を成長させるけれど、辛抱や苦労は積み重なって恨みを生みがちだ。今後、高齢化社会の進行とともに、妻による夫への虐待や殺人が増えないか、心配している。思い当たることがある人は、胸に手を当ててよく考えてください。

前田　子どもが不登校になって一緒に苦労したとき、親の干渉を嫌って子どもが海外の大学に行っちゃったとき、妻が両親を失い悲しんでいたとき、自分の親との同居で気苦労をかけているとき。いろいろあったけれども、みんな右往左往して乗り越えてきた。振り返れば全部、お互いの理解を深めるきっかけになっている。

平川　「家庭のことはお前に任せる」「面倒はお断り」「問題が起こったらお前の責任」という夫も多い。結婚している人は、1年に一度でいいから相手に聞いてみるべきだと思う。「僕(私)と暮らして幸せ？」と。ある男の人が妻に「お前は今、幸せか」と聞いた。それだけで奥さんは「この人は私を人間として見てくれている」と感激し、さめざめと涙を流したそうだ。

前田　人生に意味なんてないかもしれないけれども、死んだ後に自分を思い出してくれる人がひとりでもいればうれしい。気に入らないことがあっても、腹を立てるか、笑って済ませるかは結局、本人の教養次第だ。人間をきちんと理解できるかどうか、私たちは日々試されているのだし、さまざまな経験を重ねて、少しずつ洞察が深まっていくのを感じる。

平川　でも子どもには自立してもらわないと困る。高校生のとき、娘が「お母さん、何で勉強して、いい大学に行って、就職しなきゃあならないの？　私は今でも十分幸せだよ。友達とおしゃべりして、ショッピングして」と言った。驚いた。「あんたが今の生活とショッピングに使うお金は、みんな、お母さんの給料。だからあんたは楽しく生活ができるのでしょ。お母さんはあんたが大学を出るまでは面倒を見てやる。でも、それ以上は面倒見ない。あんたが勉強しなくても、いい大学に行かなくても、就職しなくても、お母さんは少しも困らない。ただ、お母さんのお金をあてにしないでくれ。以上」

病魔に襲われたとき

忍び寄る危機と生きる幸せ

平川　古田さんは、重い病気にかかったとき、何を思ったか。

古田維　62歳のとき、急性の腎臓病を発症して3カ月ほど入院、人工透析をしながらステロイド剤による治療を受けた。その経験から言えることは「自分の体のことは自分が一番よくわかっている」と誰しも思っているかもしれないが、それは必ずしも正しくない。わかっているのは過去の自分についてであり、加齢とともに背後から忍び寄る危機には案外、気づかない。若いころは水面下に隠れていた不調や弱点が加齢による衰えとともに顕在化してきて、ある日突然「こんなはずではなかった」という病気に見舞われる。そうなってから振り返ってみて初めて、あれは病気の予兆だったのか、というサインが以前から出ていたことに気づくことも多いのではないか。私の腎臓病もそうだった。

平川　成人病検診などはきちんと受け、予兆を見逃さないことだね。

古田　健康診断やがん検診などの有効性に疑義を呈する見方もあるが、定期的にきちんとこれらの検査を受けることがやはり重要だ。自分の体力を過信せず、年齢とともに警戒レベルを上げていくことが、健康でいられる時間を長くする道だろう。

平川　中沖さんも大病を経験した。人生観は変わったか。

中沖　２０１６年7月31日夕刻、救急車で搬送され即入院。成人病因子（高血圧・メタボなど）と熱中症（前日炎天下でテニス）による脊髄梗塞（脳梗塞の一種、頚椎の血管で梗塞が起き、運動神経機能に支障をきたした）だった。人生初めての入院生活は3カ月におよび、楽天家であった私もさすがに落ち込んだ。利き手の右指に障害が残り、翌年6月に子会社の社長を退職した。地味なリハビリも続き、薬漬けでどん底の気分にもなった。一緒に学んだジョン・ボチャラリ先生から「暇と体力の中沖」と命名されたこともあるが、いよいよ暇だけになり、好きなスポーツもできず、人生もうおしまいと嘆く日々もあった。

平川　今ではすっかり元気を取り戻した。あきらめずにリハビリを続けたのがよかったのかな。

中沖　地道に1〜2年、リハビリを続けていくうちに、最低限の日常生活は何とか独りでできるようになった。気持ちの整理もつき、障害者手帳を申請・入手した。人生は一度きり、クヨクヨしても仕方がない。身体的に制限はあるが、やれることはやってみよう。人生楽しくいかないともったいない。リハビリを兼ね、左手1本でゴルフ・テニス・麻雀を再開、車の運転も能力テストを受け、許可を得た。医者から適度であれば、アルコールもOKといわれ、大好きな飲みもやっと再開した。障害者特例（乗車券・ETC半額、入場料無料）を生かし、旅行・美術館巡りなど行動範囲も広がってきた。体が固くなりやすいので、リハビリは今も続くが、楽しい年金生活を送っている。

平川　人生観も変わるのか。もっとも中沖さんはヨルダンのアンマンに駐在していたころ、その後の人生の指針となる経験をしたよね。

中沖　大病しなかったらどんなに楽しい人生を過ごせたかと過去を悔やむより、65歳を過ぎて高齢者の域に達し、残りの人生を一病息災でいかに有意義に過ごそうかと考えている。小さなこと、例えば外食何にしようか、次の旅行どこへ行こうかなどと先のプランを立てるのが楽しい。生きているだけで幸せだ。

前田　私は57歳のときに進行した大腸がんになり、「死ぬのでは」という恐怖から深刻なうつ病にもなった。がんの手術での入院は10日間ほどだったが、うつ病で2カ月半、入院した。内服薬や点滴薬では治らずに、全身麻酔をしたうえでこめかみに電極を付け、頭部に電気を流す「電気けいれん療法（ECT）」を受けて、自殺しそうな危機は脱したが、4年ぐらいは勤労意欲も人生を楽しむ意欲も失っていた。かろうじて出社して書いていた記事は不十分な内容だったと思う。

中沖　大病で人生観は変わったかという問いへの答えはノーだ。元来、楽天家だったけど、今は変な名誉欲もなく、現状の自分をさらけ出し、楽しく生きるという超楽天家になった。バカは死ななきゃ治らない。丈夫に生んでくれた両親、温かく見守ってくれる家族、コロナ下でも下手くそな小生にゴルフ・テニスを付き合ってくれる友人に感謝している。それをネタに今夜も乾杯！

前田　しばらくは退職後の生活を楽しみにしていたかもしれない妻に申し訳ない気持ちでいっぱいだった。今はこんな本をどう面白くしようかと、同窓生のコメントを切り貼りしているのだから、ケセラセラだ。

女性活躍社会について

面接で「いつまで勤めるつもり」

平川　女性の限界については、私自身がダメ人間だったので、あまり言えない。しかし、一つ言えることは、女性の多くはいい仕事をして出世しても、誰もほめてくれない。逆に周りの人に「ごめんね」と頭を下げ続けなければいけない。男性の皆さんが大学に入ったとき、ご両親は何と言ったか。「おめでとう」「うれしいね」「これからも頑張りなさい」でしょう。私は「止めなさい」「ご近所や親せきに恥ずかしい」「弟がかわいそう」「将来どうする気なのだ」。仕事で家に帰ったら、男性は「ただいま」「お疲れさま」かもしれないけれども、私たち女性はこちらから「遅くなってごめんね」という。「お疲れさま」といってもらったことがない。だから、女性は世の中に出て擦り切れることがない強い自信、自尊心を持たないと難しいのだと思う。私は自分の娘をそう思って育ててきた。

前田　他人の仕事ぶりなんて普通、ほめないよ。部下育成のトレーニングを受けた上司がわざとらしく「よかったよ」などというだけではないの。私が書く記事を「面白かった」などと評価してくれるのは、ライバル紙の記者ぐらいかな。社内は無関心。大企業の社長だって、何をしてもスルーされるから、自分でスポーツクラブの会員になって一生懸命運動し、インストラクターにほめられるのを生きるバネにしている。平川さんの話を聞くと、女性はほめなければいけないのだというプレッシャーを感じてしまう。

山口綾子　私が就職活動をしていたころ、4年制大卒女子を公募する企業は多くなかった。行く先々で東大女性に出会った。ある会社の面接でのこと、「いつまで勤めるつもりか」と聞かれた。「定年まで」と答えたが、そんな質問は女子しかされなかったと思う。縁あって就職したのは当時、女性活用を売り物にしていた企業だった。海外派遣制度、育児休業制度（当時はまだ法制化されていなかった）など、女性活用の看板でもあったこれらの制度を活用、結果として定年後の再雇用も含め、43年間籍を置くことになった。典型的な終身雇用例かもしれない。

平川　多くの女性は結婚や出産で一度、「終身雇用電車」を降りると、二度と乗ることができず、生涯給与が大幅に下がってしまう。男性でも就職氷河期に求職活動をした新卒たちや、それこそ会社の都合でリストラされた社員たちは、自分の責任ではないのに、生涯賃金が下がり、ときには「人生の失敗者」とまでみなされる。1回乗れなくても次の電車に乗れる、一度降りてもまた乗れる。そういう社会のほうが、ずっと公平で、自由で、人を幸せにしてくれる。

前田　新聞社の場合、男女は基本的に平等で、特に記者職などは結婚・出産でやめる女性はまずいない。夫の海外転勤についていく人はいるけれど。一定の実績を積めば、男性並みに職位が上がっている人が多い。というか、男性でも職位がなかなか上がらない人がいる。私の同期の女性記者はひとりだけだったけれど、今は3分の1ぐらいが女性だ。昔、新人だと思っていた女性がもうアラフィフになったと聞いて、驚くこともある。

デスク　女性活躍社会の実現が課題になっているという。ただ、東大卒の女性はすでに存分に活躍していて、後進の女性の活躍の場を広げる役割も担うべきだとの声もある。

平川　東大卒の女性が、すべての女性の活躍のために働く必要はないでしょう。東大卒の男性がすべての男性の活躍のために働いているわけではないことと同じだ。働くことは社会のため、自分と家族の収入のため、自己実現のためでいい。給与は自分が働いた仕事の対価でいい。給料をもらって仕事をしているときに、真の女性活躍社会を実現するためにどうするかなどと考えていたら、仕事にならない。

前田　それはそうだが、多くの職場で今の仕事の組み立て方が男性向けになって、女性が能力を発揮しにくいことが問題なのではないか。今は変わっていると信じたいが、ちょっと前までは男性部下の後任に女性が配置されると聞くと、がっかりする男性上司が多かった。「妊娠しているらしい」などと聞くと、身の不運を嘆く男性上司もいた。

（図表21）年功序列むしろ強化？

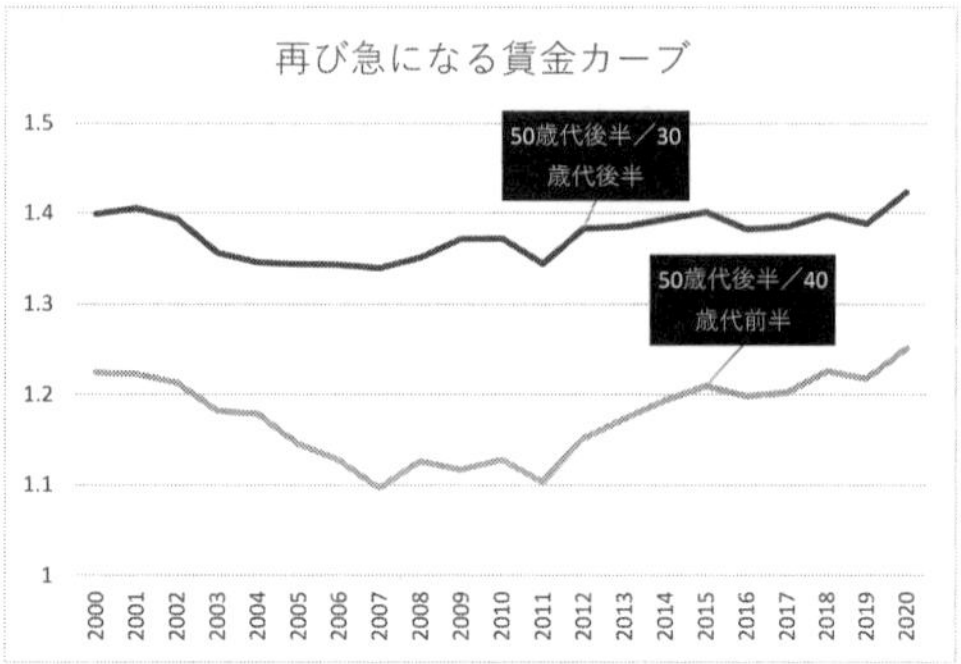

（注）大卒・大学院卒の男性（短時間労働者を除く）
（出所）厚生労働省「賃金構造基本統計調査」各年版をもとに筆者作成

ロールモデルは自分だけ

山口　勤務先の銀行はバブル崩壊後、2度の大型合併を経て、社名は何度も変わった。企業カルチャーの全く異なる社員との協働には神経を使ったが、新たな発見に満ちてもいた。合併は企業の生き残りのためだったが、女性活用の観点から見ると、「明文化できない、説明できない暗黙の女性差別」を断ち切るいい機会だったようにも思う。

前田　賃金構造基本統計調査を詳細に見ると、大卒男性社員の40歳前後から60歳手前にかけての賃金カーブは以前よりも急になっている。40歳前後が就職氷河期だったせいもあるが、表面的には一般的な予想に反し、年功序列賃金が強化されている。でも細かく分析すると、40歳前後の部課長職が女性に侵食されていて、男性はポストがないから役職手当が得られない。共働きでなければ、家計が運営できなくなったということでもある。

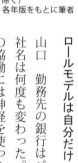

平川　共働きの是非とは別の観点だが、私は男女に寄らずすべての人間が自分の意思で生き方を選び、結果に責任を持って生きる社会であれば、何の不足もない。女性にも男性にも、与えられた社会と限られた人生のなかで、生き方を選ぶ権利がある。治安がよく、平和で、すべての人がなるべく平等で、自分の幸せを追求することができる日本を守りたい。それが女性活躍のみならず、人々を幸せにする社会の基盤だから。

前田　女性活躍社会を語るときに、必ず「課部長になって会社をリードする仕事をしたいと考える女性がそもそも少ない」という話が出てきて、その次に女性が目指すべきロールモデルがないという展開になる。東大出身の女性の多くは極めて高い能力を持ち、甘えた考えの持ち主や、幹部になる意欲を欠いた後進女性を非難・批判する側に回ることもある。男性に伍して生きてきた女性は「名誉男性」とも呼ばれるが、女性活躍社会の実現の障害になっていないか。

山口　「女性のロールモデルがいない」という声を若手女性たちからよく聞く。自分の経験からすると、輝く先輩女性はたくさんいたが、その誰かをロールモデルにしたことはない。時代背景、置かれた状況の違いを考えると、自分のロールモデルは自分しかないと思ってやってきた。少なくとも先輩女性たちが開いた道を、広げるように努めてきたつもりだ。後輩女性たちにはさらなる飛躍を期待したい。

太田昭子　私が学部生だったころ、東大には女性の先生も少数いたが、直接教わる機会がなかった。自分が大学で教鞭をとるようになったとき、自分にロールモデルがいないことに改めて気がついた。そこで教育の部分では高校時代の女性の恩師を、そして研究の部分では大学時代の恩師をミックスして、いわばハイブリッド型のロールモデルを頭のなかで作ってみたのを思い出す。私たちの時代は先進的な一部企業を除けば、職場に女性のロールモデルのいないのが当たり前だった。山口さんの「自分のロールモデルは自分しかないと思ってやってきた」という姿勢には頭が下がる。

平川　男性が「女性というものは」とひとからげにして、「甘えている」などと思っていると、一緒に働く女性もそのような男性に伍するために同調せざるを得なくなる。男性も女性も思い切り仕事ができるように「育児休業をしても不利にならない」「子どもが病気をしたら休める」などのルールを整えてほしい。あとは男性も女性も精一杯やるだけだ。

山口　男女雇用機会均等法以降は、「総合職と一般職」（呼び方は各社さまざまだが）という形で女性が分断されてしまったように思う。価値観の多様化が進むなかで、「女性総合職はこうあるべき」という固定観念に嫌気がさしたとして大手企業から小規模なベンチャー企業に転職したケースも身近に知っている。「私は女性総合職であるまえに、○○という固有名詞を持つ人間なのだ」という彼女の言葉が印象に残った。「女性」にとらわれない、柔軟な働き方ができる若い世代の活躍が楽しみだ。

趣味にも生きる

小説・世界旅行

デスク　同窓生には第2の人生でプロの小説家になった人もいるし、内海さんは趣味の延長で短編小説を書くということだが、なぜそんなことに関心を持つようになったのか。

内海　私が短編小説を書くのは単にものぐさだからということもあるが、物事を端的に表現することのほうが、長々と起承転結をそろえて訴えるより、インパクトがあると思うからだ。下町で生まれ、若いころから洒脱と軽妙を「いき」と考え「いきて」きた。「蛇みたいに長いモノはしゃらくせえ」。

初期の夏目漱石の小説のように「電光影裏に春風を斬る」気概を常に持っているつもりだが、単に長く考え続けることが苦手だけかもしれない。

平川　中沖さんは商社マンらしく、世界中を旅したという。

中沖　世界の70カ国くらい出張・旅行した。中でもチリはユニークな国。日本から30時間ほどかかる地球の裏側だが、世界一の銅・リチウム・ヨードなどの産出国で、関連業務もあり、よく出張した。北は赤道に近く、南は南極で長い海岸線を持ち、サケなどの漁業も盛んだ。世界一乾燥したアタカマ砂漠、南米一高いアコンカグア山、地中海性気候の首都サンチャゴ、南はアンデス山脈の端でスイスにも負けない絶景の山々と、変化にとんだ自然が魅力だ。

前田　美人が多い国があると聞いたことがある。

中沖　中南米の3C(コスタリカ・コロンビア・チリは美人の産地)の一つで、チリに行ったら3W(ウェザー、ワイン、ウーマン)を楽しめといわれている。チリ硝石の工場ワーカーと一緒にキャンプファイヤーをやり、食べた牛の丸焼き、ボトルで丸呑みした赤ワイン。おいしかったな〜。

平川　駐在した国でも生活を楽しんだらしいね。

中沖　丸焼きと言えばヨルダンの国民食、マンサフもおいしかった。こっちは羊だ。でも差し出された羊頭からスプーンでグルリとえぐられたピンポン玉大の目玉をゲストが食べないと宴会が始まらない。日本人のお客はまず無理なので、よくピンチヒッターで食べさせられた。食べ方も独特で丸焼きの羊肉をビリッと手でむしり、下に敷いてあるチャーハンのようなご飯を手で握り、ヨーグルトをかけ、肉と一緒に頬張る。最初は指の間からぽろぽろ米がこぼれてくるが、コツはすぐにつかめた。現地の宴会を楽しみにしていた。

前田　ヨルダンの話は、ほかでほとんど聞かれないから、もう少し教えてください。

中沖　あまり知られていないが、ヨルダンはペトラ・ジェラシュ・ワディラムなど世界遺産の宝庫だ。死海、アカバ、十字軍の城跡、古い教会群など観光資源も豊かで、アンモナイト・サメの歯など化石も多く産出する。観光の穴場といってもいい。平時なら隣のシリアやイスラエルにも行ける。首都のアンマンの天候は1年の355日晴れ、5日曇り、3日雨、2日雪と安定している。標高900メートルにあるので、冬、雪が降る。雪の日は会社も学校も休みだ。死海は海抜マイナス400メートルと世界一の低地なので、1時間で1300メートルも下ることになり、大概の人は途中で耳をやられる。塩分濃度が高いので、足が水底に着かなくなった途端に浮遊体験ができる。春には乾燥した郊外の丘一面にポピーやアーモンドの花、ミモザなどが一斉に咲き誇る。遺跡跡に行くと、果てる文明と不滅の自然の対比が面白い。

前田　台湾は観光ガイドブックも多いけれども、お薦めは。

中沖　戦後の二・二八事件もあり、内省人は蒋介石を全く評価しないが、二つだけいいことをしてくれた。一つは故宮の財宝を台湾に持ち込んでくれたことだ。北京の紫禁城に置いたままだったら、文化大革命の際に壊され、貴重な世界遺産を失うところだった。もう一つは自分の取り巻きにしていた一流のコック・芸術家を連れてきたことだ。おかげで、台湾で北京・山東・上海・湖南・四川・雲南・広東などいろんな中華料理を食べられるようになり、食のレベルがアップした。紹興酒やウーロン茶なども、トップクラスのものが台湾で作られている。もう一ついうと、戦中・戦後の台湾動乱を画いた「非情城市」は必見の映画だと思う。

前田　もう一度、食べ物の話を聞きたい。チリの牛の丸焼きやヨルダンの羊の丸焼きは、観光旅行で食べるにはちょっと手ごわい。もっと手軽なものはないか。

中沖　フルーツが好きなので世界でいろいろ食べたが、トップ3は台湾のアップルマンゴ、枝に付いたままの生ライチ、そしてヨルダンの桃。アジアのマンゴスチン、ランブータン、パッションフルーツ、パパイヤ、グアバ、釈迦頭、竜眼などもうまい。チリで食べたチリモヤはパインとオレンジをミックスしたような味で忘れがたい。持ち帰りたくもなるだろうが、フルーツの持ち帰りは現地政府発行の検査証明書を入国時に植物防疫所に提示する必要があり、証明書があってもダメな品目もある。現地で楽しむのが基本だ。

台湾のアップルマンゴ（写真 AC）

スポーツの意義を語る

平川　古田さんは、大学時代に野球部に入って、活躍してきた。学生スポーツって何のためにあるのか。勝利至上主義、コーチや先輩の暴力的指導などが話題になったとき、どう感じたか。

古田　日本の学生スポーツは学校での体育教育や部活動に取り入れられた競技が、単なる体力向上やリクリエーションのためだけでなく、教育上の役割をも担って発展してきた。たとえば競技に取り組む過程で、自己の限界を押し広げることに挑戦する勇気を持ち、フェアプレーの精神や対戦相手に対する敬意を学び、団体競技ではチームワークの重要性を身につけることなどが教育的効果として期待されている。

平川　だから勝ってもガッツポーズをしていい場合といけない場合があるのかもしれない。

古田　教育面での意義を別にしても、スポーツ競技の場での勝利や、いいパフォーマンスを上げることで味わえる達成感は格別であり、費やした努力が報われる経験はそれ自体かけがえのないものだ。

若い時期にそのような経験を持てれば、その後の人生にはきっとプラスの財産になる。

前田　どんなことでも、一つの達成感が次の挑戦意欲を引き出すというのは、よくわかる。

古田　より実際的な意味でも、スポーツで培われた資質は生きるための役に立つ。社会人生活で遭遇するいろいろな場面に、スポーツに取り組んだときの経験が参考になる。苦境に陥ったとき、プレッシャーのかかる場に立たされたとき、最大限の集中力が求められるときなどを考えてほしい。いずれもスポーツの場で別のかたちで遭遇し、対処してきた状況である場合が多い。生きるのに有効な「引き出し」を増やすことができる。

前田　現実の社会でもフェアプレーの精神というか、スポーツマンシップを要請されることが多い。

古田　ある競技において飛び抜けて優れた能力を持つ者は、卒業後もプロの競技者としての人生があるかもしれない。そうでない者にとっても学生時代のスポーツは、現役として取り組んでいるときも、現役を終えた後も、より豊かな人生を送るうえで意義がある。

前田　よく箱根駅伝（東京箱根間往復大学駅伝競走）などの中継で、４年生の選手が走ると、「○○に就職が決まっています」などと紹介されることがある。長距離走に懸命に取り組んだ経験を糧に、充実した人生を送ってほしいと思う。

古田　勝敗を争うのはもちろんスポーツの本質だが、一方で勝つことのみを目的とした取り組みは前述の学生スポーツの意義に背くことになりかねない。指導者が暴力的指導で選手を従わせるなどは、かつては勝つための近道として普通に行われ、それを是とする時代もあった。しかし、そのような指導がパワーハラスメントとみなされ、指導者の責任が追及されるようになった現在では、それはもはや勝つための最善の方法とは言えない。

前田　これも社会が透明化を求めている一つの姿だろう。

古田　個人競技でも団体競技でも、強くなるための最大の要因は選手自らのモチベーションだ。選手自身が心から勝ちたいと願い、そのために必要な要素を研究し、練習やトレーニングの方法を工夫する。そうして強くなった選手やチームこそが最も頂点に近づけるという認識は、すでに広く共有されているのではないか。選手のモチベーションに火をつけ、自分で考えることを促し、そのときどきにふさわしいアドバイスを送ることができる指導者こそ、最良の指導者といえる。

第6章　国際化の課題

日本の国際化を考える

自由貿易協定の意義

デスク　再び堅い話に戻そう。株式会社ニッポンのビジネスモデルって何だったのか。加工貿易国で貿易立国だといわれていたが。

金原主幸　日本が本当に貿易立国だったか疑問だ。自動車、電機など高度成長時代の花形製造業分野の輸出が経済成長を牽引した部分があったのは事実だが、貿易依存度からみても、政策優先度からみても、日本経済が諸外国と比べて十分に国際化しているとは言いがたい。因みに2019年の貿易依存度（GDPに対する貿易額の比率）の国別ランキングでは、日本はなんと世界で185位だった。人口1億2500万人と国内市場がかなり大きいので、近隣の東アジア諸国や欧州諸国に比べて貿易依存度が高くないのは不思議ではない。

平川幸子　でも人口減少社会を迎え、内需への期待は持ちにくい。現地生産か輸出かは別として、経済成長が続く海外で稼がなければ、日本経済の未来は暗い。

金原　今後は日本経済再生のため、サービス部門の自由化を軸に、真の貿易投資立国を志向した経済政策に大きくシフトすべきだろう。特にカネ（外資）、ヒト（外国人材）の分野の開放は待ったなしだ。

平川　日本は２０１７年11月に環太平洋経済連携協定（ＴＰＰ）を締結したのに続き、２０１９年２月に日ＥＵ経済連携協定（ＥＰＡ）を、２０２０年１月に日米貿易協定を発効させた。次は日米自由貿易協定の締結を目指すという。日本経済にどんなふうにプラスになるのか。

金原　日本経済の再生に向けた処方箋のひとつは、包括的で高水準の日米自由貿易協定（ＦＴＡ）の実現だ。トランプ政権期に締結されたＴＡＧ（物品協定）は、部分的なモノの関税削減・撤廃だけに限定された協定で、国際的基準からみても、決して本格的な自由貿易協定と呼べる代物ではない。ただ、このとき発表された共同声明に将来的には（おそらく米国側の意向によって）物品のみならず投資、サービスなど幅広い分野をカバーする包括的な日米ＦＴＡの締結交渉を行う旨が明記された。

(図表22) 農業は意外な成長産業

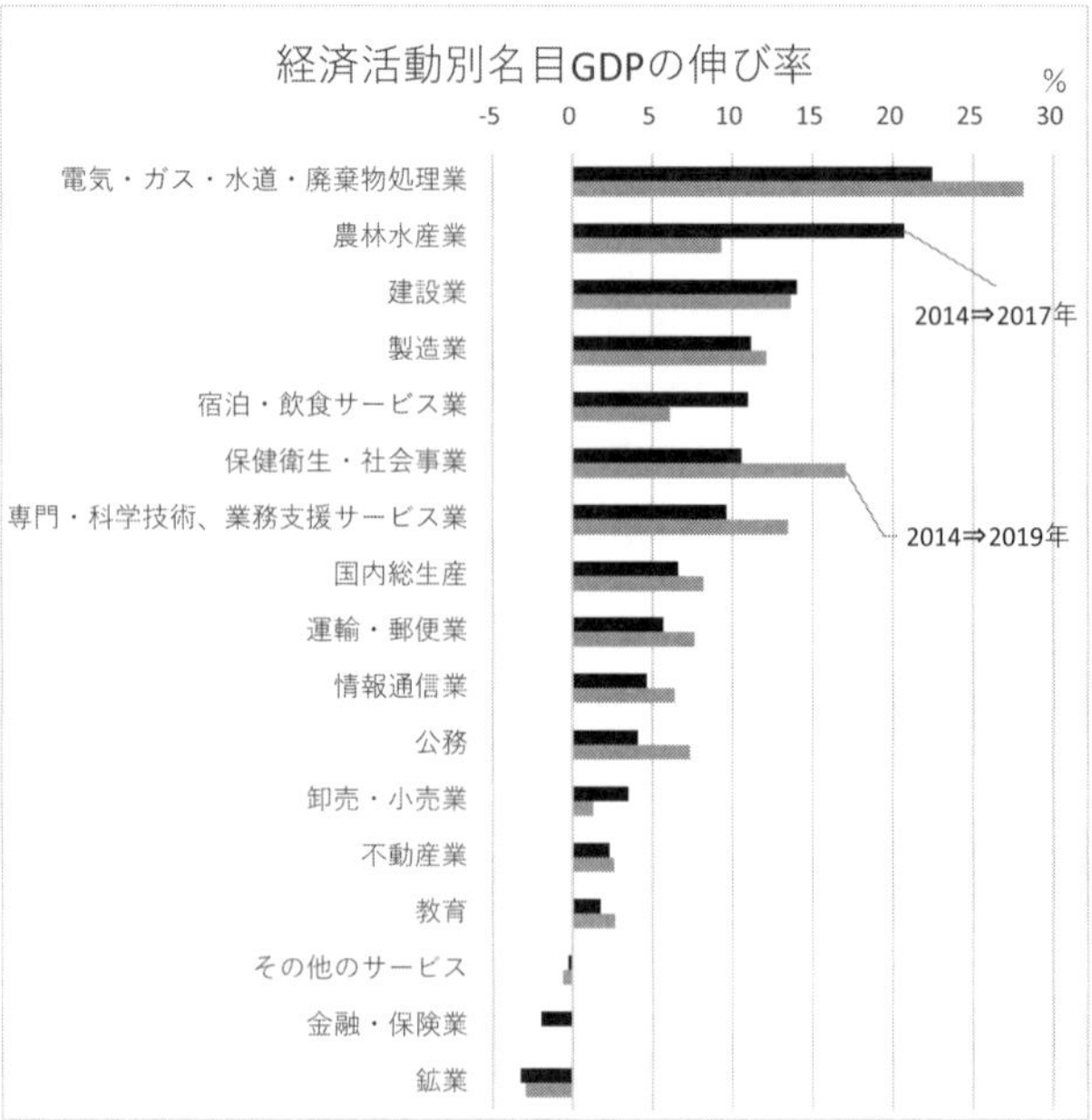

(注) 暦年ベース
(出所) 内閣府「国民経済計算」のデータをもとにグラフ化

前田昌孝　産業界がＦＴＡの締結を求め、農業団体が抵抗し、国内の調整がつかなかったのが、これまでの日本の通商交渉の歴史だった。しかし、産業別ＧＤＰの伸び率を見ると、日本の農業は成長産業になった。規制緩和を受けて農業の大規模化がしやすくなり、やる気のある農業者がスマート農業なども取り入れて、攻めの経営をしているからだと聞く。

金原　日米ＦＴＡが実現すれば、製造業に比べ全般的に生産性の低いサービス部門や農業分野の国際競争力の向上にもつながり、産業構造の転換が進むと期待できる。日米市場の統合は外交戦略的には中国に対するけん制にもなる。そうしたポジティブな結果をもたらす米国からの外圧なら、歓迎すべきではないか。

国際化を担う組織・人材

前田　なぜ日本版通商代表部が必要なのか。

金原　日本が真の貿易投資立国を目指すならば、米通商代表部（ＵＳＴＲ）にならって日本版通商代表部を設立すべきた。メリットは少なくとも三つある。第１に政府全体としての総合戦略を進めやすくなる。外務、経済産業、農林水産の各省がそれぞれにかかわる分散交渉が解消できる。第２に通商政策に特化した閣僚ポストを持つ行政組織ができれば、政府内で通商問題の優先順位を高めることができる。第３に日本のこれまでの受け身の姿勢から攻めの通商政策に転換するとの明確な強いメッセージを対外的に発信できる。

前田　新組織に魂が入るかどうかは、何とも言えない。２０２１年９月１日に発足するデジタル庁がうまくいけば、いい先例になると思うが。

金原　行政の屋上屋になったら意味がない。強い権限を持つ代表部とするには、官邸に直結した有力者をトップに据えるとともに、幹部ポストを各省出向組で固めず、民間企業、法曹界、学界など各方面から有能な人材を募り、専門家集団を形成する必要がある。

前田　新しい政府組織に参画して本当に力が発揮できるのならば、民間からも有能な人材が入るだろうが、船頭多くして何もできないような組織ならば、本当に能力がある人はそんなところでキャリアを無駄にしたくないと思う。

平川　テルモは海外でビジネスを伸ばしているが、海外で仕事をする日本人や外国人をどのように採用・育成しているのか。

新宅祐太郎　まず日本人だけど、従来型の駐在員はいらなくなった。彼らは本社との交渉・調整しかできないから、現地で雇った一線級の人材からみると、別にいなくても構わない。悪い外国人は上手に自分の利益を追求するけれど、会社にはマイナスだ。結局、日本人も現地の人も、仕事ができなければダメだ。

平川　金原さんは貿易投資立国をめざすべきだというけれども、担い手の確保がやはりカギを握る。

新宅　日本人を海外に送ろうと思ったら、組織としてではなく、自分で仕事ができるように鍛える。鍛えすぎて転職されたこともあったけれど、仕方がない。会社が貧乏だったころは、現地の人を採用するときに十分な報酬が用意できず、期待ほどの仕事をしてもらえずに失敗した。ケチらず一流人材を雇う、これに尽きる。

内なる国際化への課題

平川　内なる国際化をどう進めるかも、日本の大きな課題だ。外国人労働者の受け入れをどう考えるべきか。政策として実効性はあるか。

衛藤先生が亜細亜大学の学長だったころ（1987~95年）

写真は亜細亜大学ホームページ、アマゾンほか

金原　「国際問題は常にウオーム・ハート（暖かい思いやり）とクール・ヘッド（冷静な頭脳）の両方の視点から考えよ」とは、われわれの恩師の衛藤瀋吉先生の教えだが、外国人受け入れ問題も、こうした視点が大切だ。アジアの近隣諸国から夢を抱いて憧れの日本に来訪した若者が多いと思うが、彼ら彼女らをリスペクトし、温かく迎えるべきだし、彼らが困難に直面し、苦境に陥ったときには、行政コスト負担を厭わず、救いの手を差し伸べるのが、ホスト国としての責務だ。

辻泰弘　人手不足解消の手段として、日本の技術・技能の国際移転を錦の御旗にして、技能実習の名の下に、多額の借金をさせてまで日本に来させ、劣悪な労働環境の下で過酷な労働をも強いることを事実上、解禁した。これまで数々の外国人労働者が悲劇に見舞われたが、本気で解消しようとはせず、傍観や弥縫策に終始するばかりで、今日に至っている。

金原　労働力としての外国人をどのようなかたちでどの程度受け入れるべきかをめぐっては、雇用、賃金問題などを含め、中長期的な視点から日本の経済社会全体へのインパクトを十分に分析、評価し、政策や制度を構築する必要がある。

島崎謙治　日本は2018年に出入国管理法を改正し、外国人労働者の受け入れ拡大に大きくかじを切った。しかし、外国人労働力に過度の期待を抱くべきではない。その本質的な理由は、外国人労働者は日本の都合に合わせて来てくれないからだ。東南アジア諸国の出生率は低下しており、自国の労働賃金が上昇すれば、わざわざ日本に来ない。ヨーロッパからの引き合いもあり、東南アジアの外国人労働者は今でも買い手市場ではない。

金原　外国人労働者については受け入れるべきか否かではなく、どのように受け入れるべきかといった視点から議論する必要がある。40万人に達していた技能実習生がコロナ禍で激減したため、全国各地の農家で例年どおりの収穫作業ができず、悲鳴を上げているとのニュースは記憶に新しい。今や彼らは農業のみならず、建設、機械、食品加工、漁業、介護などさまざまな分野で不可欠な労働力として日本の経済社会にビルトインされ、貢献している事実を忘れてはならない。

辻　私から見れば、外国人労働者だけの問題ではない。労働者を「使い勝手のいい、いつでも切れる」モノとして扱う政策の帰結が、今日のコロナ禍における非正規労働者、ひとり親家庭、外国人労働者の生活困窮の激化につながっているのではないか。

金原　一部のメディアでは技能実習生制度のネガティブな面ばかりが誇張されて報道されているが、実習生の多くは勤勉で仕事熱心だ。受け入れ企業や団体から高い評価を得ているケースも決して少なくない。

島崎　ドイツは1960年代以降、短期の外国人労働者を大量に受け入れたが、そのドイツには「労働力を呼び寄せたが、来たのは人間だった」という有名な言葉がある。外国人労働者に日本に来てもらうためには、職業訓練の充実や社会保障の適切な適用を含め、魅力ある制度を構築する必要がある。バランスの取れた総合的な政策もなしに、「内なる国際化」などという聞こえがいい言葉を使うべきではないと思う。

中国の台頭と日本

対中外交の最前線

前田　今後の国際社会を考えるに当たっては、中国の台頭を無視できない。米中のはざまにあって、日本はこれからどうしていったらいいのか。最近まで中国大使を務め、日本の外交政策の一翼を担っていた横井さんの考えを聞きたい。

横井裕　戦後の日本の平和条約締結に当たって、日本のなかには中国、ソ連も含めた主要国との全面講和を求める声が強かったにもかかわらず、米国の要望に従い、全面講和はかなわず、サンフランシスコ講和条約が締結されたのは周知の通りだ。ロシア（ソ連）との講和条約は今でも実現しておらず、中国との国交正常化も1972年まで持ち越された。その中国との国交正常化も、1970年代以降のニクソン米大統領やキッシンジャー米大統領補佐官（国家安全保障担当）の対中接近という米国の政策転換の下に可能となった。日中関係をはじめとする東アジアの国際関係の大枠は、主に米国の対中政策によって決定されるといえる。

平川　日本が担うべき役割も大きかったのではないか。

横井裕　その米国はトランプ政権、バイデン政権を経て、現在、中国を国際社会のなかで最大の競争相手とし、安全保障上は最大の懸念国としている。特にバイデン政権では、日本をはじめとする同盟国との協力により、中国を掣肘（せいちゅう）するとしている。

前田　「掣肘する」なんていう言葉は難しすぎて新聞ではまず使わない。そばから干渉して自由な行動を妨げるという意味だけれども。中国の故事だ。

横井裕　1990年台後半以降、中国は経済力の伸長とともに国防費を増大させ、2009年以降は、鄧小平以来の「韜光養晦」（低姿勢方針）を捨て、既存の国際秩序に対する現状変更勢力としての強権的は行動が目立ってきていた。このような中国の動きに当初から警鐘を鳴らし続けてきたのが、実は日本だった。

平川　そうだったの。それならば、もっとＰＲしてくれればよかったのに。隣人だし、ぼやぼやしていると、飲み込まれちゃうからか。

横井裕　これに対し、米国ではボブ・ゼーリック（銀行家、第１１代世界銀行総裁）の「責任あるステークホルダー論」であり、時代が下った欧州はアジアインフラ投資銀行（ＡＩＩＢ）に相次いで参加し、英独仏の首脳は日本を素通りして毎年、何度も訪中した。日中関係が過去の歴史問題などで緊張するなか、欧米諸国は中国の経済の急成長を好感し、対中関係を重視する姿勢が顕著だった。現状はいわば日本の対中警戒感に、ようやく米国ほかが追いついてきた状況だ。

前田　確かに中国の自動車市場などは日本メーカーが本格的に動く前に、欧州車に席けんされていた。２０１５年に英国がＡＩＩＢに参加表明したのも、衝撃だった。

横井裕　唯一の同盟国である米国との間で、対中政策を緊密に調整することは当然だが、これは米国への追随を意味しない。英国が米国と緊密な特別関係にあることは周知だが、英国は中華人民共和国成立直後の1950年に香港の存在を理由に、欧州の国として最初に中国を国家承認した。この事実が象徴するように、ある特定の国に対して各国が置かれている状況は千差万別であり、おのおのの国益を念頭に、外交政策は検討されるべきである。

前田　日本は中国市場を活用したいが、取り込まれたくはない。

横井裕　欧米諸国と日本の対中状況が異なる点は、最近(2020年12月20日)亡くなったエズラ・ボーゲル氏（ハーバード大学教授）の言を待たずとも、日中が短く見ても1500年の交流の歴史を持つ隣国同士であることだ。地理的な近接性は、経済関係で他の先進国に比べて緊密な関係を持つと同時に、安全保障面では対立すれば直接対峙することを意味している。文化的に近いということは、中国を理解するときの水準が、他の欧米諸国に比べて圧倒的に高いことを意味している。

平川　より精密な政策が必要ということだろうか。

横井裕　日本は自国の現状、国益の分析から発して、独自の対中政策を策定することが必要であり、その内容を明確な言葉で中国及び、米国他の国際社会に説明していくことが求められている。

世界にあまねく進出

清水康弘　ギリシャ大使をしていて気になったのは、中国のプレゼンスだ。ギリシャのピレウス港は、中国が海のシルクロードの欧州への入口と位置付け、中国の国営企業が港湾管理会社を買い取り、大規模な投資をしている。日本企業の投資は、選択と集中であり、全世界の国々にまんべんなく投資することはないが、中国は国策によって東欧や中央アジア、アフリカなどに本当に驚くほど、あまねく進出している。

前田　中国のワクチン外交が効いているのか、中国を肯定する国家が世界に90以上出てきたという。米国が2020年の人権報告書に「ジェノサイド（民族大量虐殺）と人道に対する罪だ」と明記したウイグル族の迫害も、民主主義が風前の灯火の香港情勢も、ＯＫだと考える国がどんどん増えている。スウェーデンのファッションブランドＨ＆Ｍなど中国政府の姿勢に距離を置く企業は、中国国民の「愛国心」も手伝って中国で事業がしにくくなっている。日本企業も中国のやり方が気に入らないのならば、中国でビジネスをするなと言われ始めている。難しい局面だ。

清水　専制的で独裁的な体制を持つ中国が、経済面でも大きな影響力を行使し、やがて政治面にも影響が広がっていくのを目の当たりにすると、恐怖感がある。日本は民主的価値を共有する国との連携を強めて、対抗していく必要があると思う。

平川　世界を見ていると、人権はとても大切だと思う。前田さんの記事を書くという仕事だって、言論の自由があるから成り立つ。中国共産党の宣伝機関である人民日報の記者になりたいとは思わないだろう。

前田　本当に日本に言論の自由があるかどうかはさまざまな見方がある。国際ジャーナリストＮＧＯの国境なき記者団（ＲＳＦ）の２０２１年版世界報道自由度ランキングでは、日本は１８０カ国・地域中67位だった。中国の１７７位よりはましだが、アジアでは韓国の42位、台湾の43位を下回る。

平川　民主主義は何をするにも非常に手間と時間がかかる、面倒な政治システムだ。しかし、いい点も多くある。ときの政府をじゃんじゃん批判していい。どんな政府も批判できる自由だけは、一貫して守りたい。マスコミはそこのところ、はっきりしてほしい。

前田　あまり単純化してはいけないと思うが、日本は「批判するのは勝手。しかし、細々と暮らしてくださいね」という国だ。学者も分野によっては政府関係の委員になれば、その報酬は知れていても、企業から「意見書を書いてほしい」といった依頼が殺到し、豪華な家が建つ。政府から距離を置く学者には縁のない話だ。

平川　中国は確かに大きな経済単位だが、中国の経済発展の恩恵を受けているのは、国民の一部でしかない。農村の人々は出稼ぎというかたちでしか経済に参加できない。医療も教育も受けられない人が今も多くいる。恩恵を受けている人々は、お金がもっとあれば財産と家族を外国に移したいと思っている。習近平氏が国家主席を続けられるという制度を作ったとき、中国では「移住」という検索ワードにアクセスが集中したらしい。

前田　もともと中国人は華僑として世界中に出て行っているわけだから、チャンスがあれば何でもするだろう。評論家の竹田恒泰氏は「日本は世界最古の民主主義国だ」と言っているけれども、底の浅い民主主義国の日本がしたたかな中国人に本当に勝てるのか。

平川　中国政府の高官はいつでも亡命できるように、米国やカナダで出産したり、子どもを留学させたりして、準備している人が多いらしい。中国と米国が政府レベルでどのように対立しようとも、中国人は米国が嫌いになれない。自由と人権が保証された国だから。中国の国の体制と切り離して、優秀な中国人に日本に来てほしい。観光客としてだけでなく、移民としても。

中沖保　小さいころから日本の国際化イコール西洋化だと学び、駐在前には台湾のことをよく知らなかったが、駐在時に台湾の歴史を学び、政治・外交、経済の海外展開にたいへん興味を持った。特に人口15億人の中国に対抗するために、人口2～3千万人の台湾がどうかじ取りをしているかは、日本も学ぶところが多いはずだ。

前田　台湾統合は中国共産党の歴史的任務だとまでいわれているわけだからね。本当に任務を遂行されたら、台湾はたまったものではない。

中沖　司馬遼太郎の「街道を行く・台湾編」にも詳しいが、国連にも加盟が認められず、世界でも15カ国としか国交関係がない。「台湾人に生まれた悲哀」をいかに乗り越えてきたか、これからどう生き延びていくのか。最近の中国の動き（ウイグル・香港、一帯一路の海洋進出）を見ても、ますます台湾の動向が目を離せなくなってきた。

平川　軍事力を磨くとか、そんな話ではないよね。

中沖　効力のない台湾パスポートを避け、出生地主義の米国に出産帰国し、子どもには米国パスポートの権利を持たせる。平和ボケした日本人にはない危機意識であり、危機管理能力だ。北京詣でを繰り返してきた米国、欧州、そして日本が今やっと台湾の重要性に気づいた。日本も西洋一辺倒の国際化よりは、隣人である東洋諸国・地域の生きざまをもっとよく見るべきだ。台湾をはじめアジアの国・地域からも学ぶ、真のグローバル化が大切だと思う。

未来への手掛かりはどこに

平川　ところで、中国はこのまま力強く発展していくのだろうか。

横井裕　中国の歴史上の各時代別の風景を思うときに不思議な気持ちになるのは、例えば、異なる各時代の戦闘シーンだ。孔子の時代、キングダムの始皇帝の時代、三国志の時代、楊貴妃の時代、さらに下って永楽帝の時代を比べてみると、紀元前6世紀から15世紀まで、時代は２０００年以上異なるのに、戦闘シーンなどの風景の印象が大きく変わらない。

平川　何か中国の未来を読むヒントがありそうだ。

横井裕　日本では縄文時代の末期から戦国時代にあたるが、日本の戦闘シーンの風景は大きく異なる。日本人は１８４０年に勃発したアヘン戦争以後の衰退した中国を思い浮かべるが、それまでの中国は、長期にわたって優れた政治経済制度を持ち、世界の総生産の３割以上を占めるまぎれもない大国だった。

前田　超長期で見れば、今の中国経済は失地回復の途上ということか。ずっと昔を振り返ると、中国は文化の中心で物資も豊富。日本も含め、周辺国が朝貢したが、それは中国の力が強かったからではなく、貢物よりも中国からの返礼品のほうがずっと多かったかららしい。

横井裕　はるか昔に教養学科に進学し、尊敬する衛藤瀋陽吉先生の最初の授業で、「歴史的に東アジアの国際関係はガリバー型であって、頭抜けた存在の中国とその他大勢の小国が存在する構造と理解できる」と伺ったことを思い出す。中国はさまざまな課題を抱え、これまでのような高い経済成長率の達成は難しくなるだろう。広大な国土と豊かな人材に恵まれているから、短期間で衰退するとの予想もできないが。

前田　ただ何か最近の習近平政権の動きを見ると、デジタル化を牽引してきた情報技術（ＩＴ）系の企業の自由な経営を力でねじ伏せようとしたり、英語学習や課外授業を規制して思想教育を強化しようとしたりするなど、時計の針を逆さまに動かしているような印象もある。経済的には自分で自分の成長の芽を摘んでいる感じだが、どこまでやるのか目が離せない。

平川　予見できる近未来は、やはり日本にとって脅威であり続けるのだろう。

前田　どこかで日本企業は選択を迫られる可能性がある。香港やウイグルやチベットの人権を取るのか、中国での稼ぎを取るのか。新型コロナウイルスの感染症収束後に中国人観光客が日本にどんどん来てくれるかどうかも、中国政府の胸先三寸かもしれない。「政冷経熱」などと割り切れなくなった。巨大な人口を擁し、国民がどんどん豊かになって国内総生産（ＧＤＰ）も早晩、世界一になりそうな国が提供するビジネス機会は大きいが、「論語と算盤」が両立するとは限らない。

平川　日本にとっては、政府と政府が対立しても、中国人に日本好きになってもらうことが長期的な国益にかなう。日本企業は終身雇用制が残っているため、新卒の給料が低く抑えられ、優秀なエリートを引き付けることはできないから、まずは教育の機会に恵まれなかった農村の人たちに門戸を開くのはどうだろう。今だって多くの中国人が、給料が高くなくても、喜んで働いている。

清水　外務省は経済外交を標榜しているが、やはり経済面へ関与や日本企業への支援が弱いと思う。経済外交では、人材育成を含めて対応する必要があると感じる。

平川　日本に出稼ぎに行けば、子どもたちは学校教育を受けられる。病気になれば保険で治療してもらえる。日本は人権を大切にする国だ。日本に行けば自由がある。そう思ってくれる中国からの移民を増やせば、その子どもたちのなかから、きっと日本を支えるエリートが育つと思う。中国人のなかに自由と人権の価値を知る人を増やすことは、長期的な国益にかなう。

山口綾子　米中に次ぐ経済大国としての日本の地位は、永続的ではない。一方、アジアは当面は世界経済の成長センターであり続ける。日本はアジアとの連携を強化し、その成長を取り込んでいくことが望ましい。域内での影響力を増している中国に対しては、一定のけん制力となると同時に、協力してアジアをリードしていくことを期待したい。

前田　中国とは理屈でわかり合える話と、わかり合えない話とがある。後者がどんどん膨らんでいくと、交渉でダメなら力でという発想に傾いていく恐れがある。こちらが圧力を強めれば、向こうはますます態度を硬化させかねない。ゲームの理論なども活用して、双方の顔が立つように上手に物事を進めざるをえないのではないか。米国は国力が衰え、苦しくなっている。先端技術を渡さない戦略も中長期的に逆効果になる恐れがある。利害が共通する間柄として、米国とはさまざまなことを綿密にすり合わせることが重要だ。

平川　短期的には米国や欧州連合（ＥＵ）との共同歩調をとるとして、結局、日本がどんな国として存立していくか、戦略的に考えることが必要なのではないか。

国際社会の変化にどう備えるか

「理念よりも力」の現実

前田　国際社会の実態をよりよく説明できるのは、リアリズム論かリベラリズム論か。言い換えれば、国際秩序を作っているのは力なのか、理念なのか。

金原　アカデミズムとしての国際関係論では、大雑把に分類すると、パワーポリティクス重視のリアリズム論と、道義的価値観や国際規範を重視するリベラリズム論に分かれる。現実の国際社会をよりよく説明できるのはどちらだろうか。国連はじめ多くの国際機関や主要７カ国（Ｇ７）、20カ国（Ｇ20）、アジア太平洋経済協力会議（ＡＰＥＣ）などの多国間フォーラムが曲がりなりにも機能していることを踏まえれば、リベラリズム論に軍配が上がるかもしれない。

横井裕　歴史を振り返ると、民族自決主義や戦争の非合法化などの理念が国際秩序の形成にかかわってきたが、現時点で具体的に国際秩序形成を左右する理念があるかと問われると、どうだろう。持続可能な開発目標（ＳＤＧｓ）のようにイデオロギー的に中立で、人類全体にとって共通の利益が明確な考え方には広く支持が集まると思われるが、ＳＤＧｓによって国際秩序が形成されるとまでは言えない。

平川　素人の印象にすぎないが、中国を見てもリアリズム論、米国を見てもリアリズム論だ。温暖化ガスの削減をめぐる国際的な協調などに希望の光を感じることもあるが、もう地球環境は他に選択肢がないところまで追い込まれているのかもしれない。

横井裕　自由、平等、人権などのイデオロギー色の強い理念は、総論賛成としても、明確な定義が難しく、議論がなかなかかみ合わない。理念の前に経済発展が重要という途上国にとっては、先進国から文句をつけられるだけという面もある。宣伝などでは意味を持ちうるけれども、これらによって強力に国際秩序が形成されているとは言えない。

金原　中国の東シナ海や南シナ海での継続的な軍事圧力、繰り返される北朝鮮のミサイル発射と核開発、ロシアの露骨なウクライナ侵攻（クリミア編入）、中東での絶え間ない武力紛争、そして米中対立の深刻化などを、説得力を持って説明できるのは、しょせん国際社会は「無秩序」で「無政府的（アナーキー）」と断じる古典的なリアリズム論なのかもしれない。

横井裕　現実の国際秩序形成はやはり軍事力、経済力などのパワーにまず大きく左右されると思う。現在、地経学などの議論が盛んになっているのも、その一つの表れだ。

金原　国家間の対立をめぐる国連の無力ぶりもリアリズム論を支援する。現実の国際社会はリアリズムとリベラリズムの混合体だと認識するしかないが、国軍を持たず、有事法制もスパイ防止法も対外情報機関もない日本は、リベラリズム論に依って立つ国際社会を願うしかない。

環境保全は旗印になるか

平川　環境保全が世界をまとめる旗印になればいいが、世界の多数派の人々にとっては、30年後の地球環境の保全より、今日の幸せ、明日の天国のほうが身近だ。国際社会をリードできる共通の旗印が見当たらず、世界は今、行き詰まっていると思う。

前田　地球環境の保全を目指すだけでは果たしえない別の旗印とは何か。よく「かえる跳び」といわれるが、フィンテック（金融技術）の発達で銀行口座を持てなかった新興国の低所得者層が、金融市場から事業資金を調達できるようになり、人生の選択肢が増えたと言われている。デジタル化は新興国の若者に多くのチャンスをもたらしているのではないか。

平川　私たちが学生だったころ、何となく、世界の発展途上国はこれから日本のように発展していくと思っていた。日本は途上国に対して、「頑張れば、日本のように経済発展できる」「みんなで発展できるよう、平和な国際社会を作ろうよ」と言うことができた。ところが、韓国、台湾、中国を除いて、アジア・アフリカ・中南米で発展できた国はあまりない。

前田　地球環境を守ることが、世界の最優先の共通利益だというためには、先進国が新興国にお金を流すメカニズムを内包する必要があるのではないか。ただ、理念で何かを動かそうとすると、副作用が避けられない。必ずお金の流れに巣食おうとする人が出てくる。ひとりやふたりではなく雨後の筍のごとくだ。グリーンウオッシュ「(実質は伴わないのに環境に配慮しているふりをすること）をどう防ぐのかは、これから頭の痛い問題になると思う。

平川　発展途上国が経済発展できない理由は、途上国自身にもある。途上国の一部では公務員は給料をもらっても働かない。汚職は社会の隅々にまで根を張っている。例えば、私の専門の教育について言えば、学校の先生が毎日の授業に出て来ない。子どもが勉強したいと思ったら、授業時間外に開かれる補習にお金を払って参加しなければならない。それでも補習授業できちんと教えてくれるならまだいい。進級テストの正解だけ教えてくれる補習もある。補習に行けば進級できるけれど、学習内容が身に付くわけではない。

前田　それは政府の管理・監督が機能していないからか。それとも公務員の給料だけではとても生活ができないためなのか。現象よりも構造を説明してくれないと、問題点が理解できない。

平川　夫が公務員の給料をもらえ、妻が例えば私立学校の教員ならば、それなりの生活はできる。ただ、公務員は熱心に働かなくても同じ給料をもらえるのだから、手を抜き、空いた時間を副業で稼ごうとするのだろう。自分の子どもはきちんと勉強を教えてくれる私立学校に入れる。私立学校の先生の給料は多くの場合、公立学校の先生よりも低いけれども、毎日教えに来ないともらえないから、まじめに働く。私立学校の先生の望みは、公立に採用してもらえること。働かなくても高い給料がもらえるからだ。

デスク　公務員の先生は高い給料をもらっているのに、日中は出勤せずに子どもを遊ばせておいて、放課後に出勤して補習授業をして追加報酬を受け取るのか。そういう仕事に就くために私立学校の先生は低賃金にもかかわらず、公務員の子どもに一生懸命、勉強を教えるのか。

平川　発展途上国の若者たちの望みは、公務員になることと、先進国からの援助でお金を得ることだ。でも、公務員を無限に増やすことはできない。増やせばギリシャの二の舞になる。次に先進国に出稼ぎに行くこと。自分の国をよくしようと思っても具体的に何をしたらいいのかわからない閉塞状況にある。それが彼らを簡単にテロに走らせる要因の一つになっているのではないか。

前田　先進国に出稼ぎに行くことと、テロに走ることとはずいぶん距離があるように思うが、新興国の若者の間ではこの二つの行動は紙一重なのか。

平川　テロの闘士となることは、彼らにとって生きがいであるだけでなく、生活を安定させられる「就職」でもある。テロ戦士になって、故郷では考えられなかった結婚ができたら彼らは幸福で、手当てを故郷に仕送りしたら、母が泣いて喜ぶ。

前田　アフガニスタンでは米国軍が撤退し、汚職にまみれ、無気力が支配していた政府軍は、タリバンの攻勢になすすべがなかったという。タリバンが力を付けたのは麻薬取引などを含めて経済力を身に付けたためだと言われており、女性抑圧など問題も多いが、若者に夢を与える役割も果たしていたのかもしれない。

グローバル化の重要性

前田　平川さんの話が本当だとすると、新興国の若者は定員が限られる公務員になれなければ、テロに走ることが選択肢になる。そのどちらにもなれない人は私立学校の先生になって、公務員の子弟に勉強を教えるという。もちろん実際はこんなに単純ではないだろうが、経済のグローバル化はいいことばかりではない。背景には格差の拡大がありそうだが、どう理解すればいいのか。

山口　グローバル化には①比較優位と規模の経済を通じた生産性向上②世界の多様な才能を結集することによる技術・文化の向上③環境問題など一国では解決できない経済問題の解決などのメリットがある。デメリットとしては①国内の空洞化②雇用の喪失③格差拡大④経済だけでなく、天災、感染症拡大などを含めた一国のショックが世界中に波及してしまうリスクなどが挙げられる。

前田　メリットとデメリットのどちらが大きいのか。

山口　昨今、問題になっている格差拡大は、海外との低賃金競争や失業リスクにさらされる低付加価値労働者、いわゆる負け組と、グローバル化のメリットを享受できるひと握りの経営者や高生産性労働者などの勝ち組が生まれたことによる。先進各国ではポピュリズムの台頭や反グローバリズム運動につながっている。グローバル化のメリットは広く社会全体に広がり、あまり認識されない一方で、デメリットは一部の弱者に集まりやすいことも、グローバル化への不満を高める結果となっている。グローバル化の恩恵を広く知らしめる意味での政治の役割は大きい。

前田　日本はグローバル化の進展を経済成長のバネにしないと、行き詰まってしまう。

山口　グローバル化の進行を止め、逆行させるのは望ましい選択肢ではない。国内空洞化や格差拡大というデメリットの解決策としては、まずは教育による労働者の質の向上があげられる。ベーシック・インカム制度の導入も格差拡大対策の選択肢の一つだ。日本ではまだ議論が生煮えだが、欧州では財政の制約などで限定的ながら、着実に進みつつある。一国のショックの波及を防ぐためには、企業レベルではサプライチェーンマネジメントを通じてのリスク管理、国家レベルでは国際的な政策協調が重要だ。

平川　以前は日本にも「金融マフィア」と呼ばれる人がいて、国際的な政策協調を支えていた。

山口　「通貨マフィア」と呼ばれる先進国の通貨当局の存在感が高かったのは、プラザ合意、ルーブル合意など、Ｇ５（Ｇ７）財務相・中銀総裁会議での決定事項が大きく金融市場を動かした１９８０年代後半から90年代までのこと。金融市場のグローバル化の進展、各国の資本取引自由化に伴う国際資本取引の拡大、新興工業国の台頭などを背景に、「通貨マフィア」の存在感は薄れたように思う。こうしたなかで１９９９年からは新興工業国も含むＧ20財務相・中銀総裁会議が開かれるようになり、グローバル経済金融危機後には、Ｇ20首脳会議に拡大された。Ｇ20は意見の相違が大きく、実質的成果に乏しいことは事実だが、こうした場を通じた国際協調はますます重要になっている。

世界戦略が必要では

国際的な発言力の強化が課題

デスク　国益とは何か。領土や国民を守るなどの大きなところはわかるが、例えば自由貿易か農業保護かなどでは、国民の意見は割れる。日本は今回、自由貿易が国益にかなうと考え、ＴＰＰを主導した。国益は誰が決めるのか。

横井裕　国益とはその国民、および国の「平和、安全、繁栄」の確保であり、さらに広義には、これを実現するためのリソース（経済力、軍事力、科学技術力など）や環境（同盟国および友好的な関係のある国の存在、国際機関への影響力、ソフトパワーなど）というふうに理解している。

平川　日本は世界戦略を持てない国だと思う。日本が「環境か経済か、やっぱり経済でしょう」などと議論している間に、ＥＵや米国が化石燃料車全廃の方針を打ち出して、日本の自動車産業の優位を崩した。日本は、汚染物質をほとんど出さず燃費がいいディーゼルエンジンや、ハイブリッド車など、世界的に優位な環境技術を持っていたのに、電気自動車でいきましょうと言われたら、横一線からの再スタート。これまでのリードはチャラになった。潜水泳法やバサロなど、オリンピックで日本人選手が新しい技術を編み出すと、それを「健康維持のため」などと理由をつけて禁止・制限するルール変更が行われることがあったが、これと似ている。

横井裕　個々の具体的は問題については、方向性を多くの国民が賛同しても、不利益を被る人々の反対は避けられない。調整の役割を担う政治が、説得や補償などを通じて全体的な意見の集約を図ることになる。

前田　でもＴＰＰやＥＰＡの経済連携協定は発効し、次は日米自由貿易協定にたどり着くかどうかが課題になっている。規制緩和にスマート農業などの技術進歩も手伝って、農業の競争力が高まり、国内の調整がしやすくなった面も、一貫した戦略を打ち出しやすくなった背景ではないか。

横井裕　米政権が発意し、促進してきたＴＰＰにトランプ政権が政権発足早々に背を向けたときに、世界の人々の多くはこれでＴＰＰの命運は尽きたとみた。米国が抜けた後もＴＰＰを存続させ、最終的に締結まで持ち込んだ当時の安倍政権の動きは、多くの国々の支持と賞賛を得ることになった。日本の外交的地位を大いに押し上げ、外交上の的確な判断と行動が成功した快挙だったと思う。

前田　日本が世界で尊敬されるようになれば、国際的な発言力も高まる。満身創痍になりながらも、五輪・パラリンピックを開催したことが日本のポジションを押し上げるかどうかはわからないが、的確な次の一手を打ってほしい。

平川　自動車の環境対応では、日本がリードしてきたプラグイン・ハイブリッド技術がチャラになりそうだ。日本がもっと国家戦略を持ち、「環境か経済か」などと言わないで、「環境のためにもっとハイブリッド技術を」と主張し、それを国際社会に浸透させておくべきだった。一時代前には、ハリウッドスターがこぞってトヨタのハイブリッドカーに乗って環境派をアピールしていたのに、日本は環境を外交の武器とする機会を逃した。

前田　世界標準を握るのは国益を賭けた熾烈な戦いだ。「主張すれば何とかなる」などという簡単なものではない。国際的な駆け引きの場への参加が認められ、「これは譲るけれどもこれは寄越せ」といった、国の命運を握る交渉ができないと。東大卒のひ弱なエリートではとても無理。誰か代表選手として通用しそうな人はいるか。

平川　環境や人権などの国際社会の旗印を安易に考えてはいけない。旗印は国際社会のみんなのためだけれども、その中に自国の国益を入れて、守るための道具にも使わなければならない。人権か経済かではなく、人権のなかで経済発展の方途を見出すくらいの戦略が必要なのだと思う。

前田　この人ならば、国際機関で活躍し、世界から敬意を集めるのではないかと思わせる日本人があまりいない。国連難民高等弁務官を務めた緒方貞子さんや、国際原子力機関（ＩＡＥＡ）の事務局長を務めた天野之弥さんに続く人に出てきてほしい。２０２１年８月25日には万国郵便連合の事務局長に目時政彦さん（日本郵便の常務執行役員）が選出されたと報道された。国連の関係機関のトップに日本人が就くのは２０１９年以来だという。

平川　国際機関での仕事は、職員の地位を得るためのキャリア形成に10年という時間とお金がかかるうえに、職員になった後の仕事が国際機関に夢を持つ人にとってはつまらないという特性があり、さらに職はすべて任期付きで、後の保証がないために終身雇用社会に生きる日本人には向かないという要素がある。日本人がたたき上げで上に行くのは簡単ではないと思う。政府が政治的に上に押し込むしかない。天野さんも外務省のキャリアからＩＡＥＡに出向し、事務局長に選ばれた。

前田　日本だってもう終身雇用制は崩れるのだから、国際機関で働くという選択は悪くないと思う。長年、世界銀行に勤め、引退して帰国した同窓生のホームパーティーにときどき招かれるのだけれど、他のゲストをみて、すごい人たちと交流しているのだなと感じる。持ち寄りで希少ワインも集まるし。官僚組織で気苦労は多いかもしれないけれども、やりがいはありそうだよ。でも語学力はもちろんだとしても、それだけではダメだろう。慶応大学の太田さん、どうですか。

世界に通用する人材の育成

太田昭子　緒方貞子氏の夫で日銀理事などを務めた緒方四十郎氏が何かの機会に「英語を巧みに操ることと、英語を使って議論ができて相手に一目置かれることは別物。後者の人材が日本では育っていないと懸念している」という趣旨の話をされていたことを思い出す。世界に通用する人材をどう育成するかは、子供から大人まで、さまざまな次元で検討すべき課題だし、分野によってはすでに国際的な人材を輩出している例もある。ただ、枠組みやロジックを意識しながら物事を考え、議論する訓練をもっと積む必要があるのではないかと感じることも多い。

デスク　第3章で議論すべきことだったかもしれないけれども、教育現場ではどんな工夫をすればいいのか。

太田　大学や大学院だけでなく、中等教育や初等教育レベルでも、議論する機会を増やすことが大事だ。特に高校以上になれば、英語で議論をする訓練にも少しずつ取り組んでほしい。英語はけっこう理屈っぽく、説明的な言語なので、議論のとき、枠組やロジックの展開と中身の質を重視する。なぜ、何のために、何を論じるのかという点だけでなく、ＨＯＷ、つまり、「どのように論じるのか」の要素が問われることになる。

デスク　相手に逃げ道を与えないように、ギリギリと詰めていくとかそういうこと？

太田　そんなことではないけれども、自分の意見の論拠と具体的な提言をはっきり示すには、訓練が必要だと思う。日本人どうしの議論では、理屈っぽいことは嫌われ、空気を読み、あうんの呼吸で話をふんわりまとめ、今後の課題については相手に委ねることも少なくない。外国人と英語で議論するときには、例えば提言があいまいだったり、枠組が不明瞭で論理破綻が多かったりすると、相手には尊重してもらえない。自分の言葉に責任を持って、言葉と論理を磨いてこそ、実のある議論になる。内容の濃い議論をするためには、前提となる知識の蓄積や相手の話を聞き取る力なども必要だ。自分自身の議論の構築に加えて、的を射た質問がどれだけできるか、相手の質問にどのように答えるかが問われることになる。

前田　ちょっとディベートとは違う話かもしれないけれども、何かの案件があって自分の主張をどうしても通したいと思うときに、「情報を少しでも多く持っていたほうが勝つ」と考え、さまざまな関連情報も寄せ集めて理論武装することがある。

太田　「情報」という手持ちのカードの切り方も、経験から会得することかもしれない。英語学習の目的が「英語が通じればいいや」という程度ならば、英語で無理をせずに、日本語で議論をすればいいのではないだろうか。日本語でも外国語でも、考えを組み立て、自分の言葉でそれを伝えあい、議論する経験を積んでほしいと思う。もっとも私たちは恵まれていたかもしれない。教養学科には論客が多く、授業でも盛んに議論していたから、議論の場を求めてあちこちに出掛ける必要もなかったし。

平川　これからは国際会議などでも物おじしない日本人が増えるかもしれない。

太田　私は英語教育の専門家ではないが、勤務先の大学では英語も担当し、アカデミック・ライティング、プレゼンテーション、ディスカッション、ディベートなどを教えている。プレゼンテーションでは質疑応答を重視し、ディスカッションやディベートでは相手の見解に耳を傾け、論理を理解したうえで、それをしのぐ主張を展開するよう求めている。学生たちにはたいへんかもしれないが、社会に出る前に練習しておく価値はあると思っている。ディベートは一種の知的ゲームだからと言って、チャレンジを促している。

前田　コロナ下でのオンライン授業だと、先生に指名されて画面に顔が大きく映し出されると、もう逃げられないかもしれない。私もあるオンライン会合で順番に指名されて顔が表示され、苦し紛れにおかしなことをしゃべったことがある。

太田　コロナ下では、対面とオンラインを組み合わせたハイブリッド型授業をしている。ズームのチャット機能を使って質疑応答をしたり、ブレイクアウトセッションでグループディスカッションをしたりするなど、試行錯誤をしている。今の学生たちはチャットでのやりとりなどに抵抗がないようで、難しい環境にも割と順応しているよう様子だ。ただ、ズームでのディベートには限界もあって、生身のコミュニケーションの大切さも感じる。学生たちと一緒に新しいコミュニケーションの可能性を探っているところだ。

平川　国際機関の職員には中国人とインド人が多いと聞くけれども、本当なのか。

前田　中国政府はポスト狩りに出ている。国際的なルールがどんどん中国に有利に決められてしまいそうだ。人材育成は難しいだろうが、帰国子女で海外の一流大学に進み、活躍している人に、日本政府の仕事の一端を担ってもらうなど、工夫の余地はあるのではないか。

今、日本ができること

平川　日本人にとっては日本ほど住みやすい国はないので、「国際人」になる必要を感じないのではないか。若くて優秀な人は日本にいたまま、どんどん海外と仕事をしている。娘なんか、毎週のように米国と英語でテレビ会議だ。私たちの若いころとは全然違う。私たちのころは、日本と世界は対置されていた。今、日本は世界の一部になっている。

前田　でも世界で仕事をすることと、日本の論理を世界に認めてもらうこととは、やはりちょっと違う。１９９０年のバブル崩壊後は日本経済の成長に必要なリスクマネーを供給するのが、海外投資家だけだったから、彼らの論理を受け入れざるをえない側面もあった。それでもまだ日本は、お金がすべてではないという段階で踏みとどまっている。

辻　今日、日本を含む国際社会を見渡せば、「競争・効率・自己責任」の論理に裏打ちされ「規制緩和万能」的色彩を帯びた新自由主義の風潮に席けんされている。１９８０年代のサッチャーリズム、レーガノミクスのころから頭をもたげてきた新自由主義は、１９９０年代初頭のソ連の崩壊・東西冷戦の終結に伴う共産主義諸国の市場経済への参入と、中国の社会主義市場経済体制の推進による大競争時代・グローバリゼーションの潮流の本格化とともに勢いが加速した。

平川　でもこの流れは人間を幸せにしてこなかったというのが、辻さんの立場だと理解している。じゃあ日本から何か国際社会を動かす理念を提示できるのかと言われると、よくわからないが。

辻　この20年近くにわたって、日本で行われてきた改革路線はグローバリゼーションの潮流に則したものだ。その意味では、時代の流れに応じたそれなりの論理と必然性を持ったものであったといえるかもしれない。経済を規定する論理には「競争」しかないとしても、生身の人間が生きる社会を規定する論理までもが「競争」となり、その論理が貫徹されるときに、果たして人間の幸せと社会の安心・安定は訪れるのか。

前田　世界一幸せな国といわれるブータンを目指せばよかったということか。世界の企業に、人口1億2500万人の日本の巨大な市場を開放することも、世界とともに歩む日本の責務であり、国益だと思うけれど。

平川　この辺の議論はなかなか解が見つからない。世界戦略の点では、日本はまだ国際的に貢献できることが多い。開発途上国に社会保障制度の構築の助言をするなど、課題先進国だからできることもありそうだ。

島崎　開発途上国の高齢化率は概して低いが、多くの国は今後急速に人口の高齢化が進む。その結果、生活習慣病の増加で医療費が増大するとともに、老後の所得保障の重要性が高まる。しかし、開発途上国のなかには結核などの感染症対策に追われている国が少なくない。また、多くの国では年金制度は手つかず状態である。いわゆる「貧困の罠」から抜け出せず、もがき苦しんでいる開発途上国も多い。

平川　反面教師になりそうな点も含め、日本のノウハウが生かせるかもしれない。

島崎　日本は1961年に国民皆保険・皆年金を実現したが、このときの高齢化率は5・8％だった。つまり、日本は高齢化率7％以上の高齢化社会に突入する前に、社会保障を整備したのだ。ちなみにこの当時、結核は国民医療費の約4分の1を占めていたが、1961年に結核予防法を大改正し、結核患者を激減させ、国民皆保険の定着に貢献した。日本の経験は貴重だ。結核対策は長年、開発途上国に技術的支援を続け、感謝されている。社会保障制度の輸出という言い方はおこがましいが、各国の主体性や特殊事情などに配慮しつつ、日本の教訓を伝えることは有益だと思う。

横井久美子　第3章で高等専門学校が日本の経済成長を支えるのに大きな役割を果たしてきたという話をしたが、近年はモンゴルなどへ「高専」の仕組みが彼の地の経済成長を支えるべく、日本から輸出されている。

対欧関係特論

英国のEU離脱と日本

前田　国際関係というと米国や中国との関係を頭に浮かべる人も多いが、企業にとっては欧州との関係も重要だ。英国の欧州連合（ＥＵ）離脱（ブレグジット）は日本にとってマイナスばかりなのか。

金原　ブレグジットは、英国がＥＵ市場の一部であることを前提に欧州ビジネスを展開してきた多くの日本企業に大きな衝撃を与えた。元をたどればＥＵに残留か離脱かを国民投票にかけるという政治的賭けに踏み切ったキャメロン首相（当時）の大誤算が招いた結果であり、日本の経済界でも「全くとんでもないことをしてくれたものだ」というのが一般的な受け止め方だった。当面は実務上の混乱は避けられないだろうし、欧州ビジネスの拠点を英国から欧州大陸に移す企業も少なからず出てきているようだ。

前田　ブレグジットの投票日は２０１６年６月23日。まさかの結果だった。遠く離れた東京株式市場にも恐怖感が広がり、投票結果を受けた６月24日の日経平均株価は１２８６円安の１万４９５２円と急落した。

金原　しかしながら、中長期的な視点から考えを巡らせてみると、必ずしもマイナス面ばかりではない。今後の日英経済関係にとって、また英国自体にとってブレグジットをポジティブに受け止めた展望を想定することも可能だ。

前田　災い転じて福となすというイメージか。

金原　第1に、英国が日本からの直接投資を高く評価しており、日本との経済関係を今後も最重要視する姿勢を示しているからだ。英国はサッチャー政権以降の積極的な外資導入策によって自動車、電機分野を筆頭に日本企業の進出を熱心に後押ししてきた。その結果、日本の対欧投資全体の3割以上が英国に集中し、今や10万人以上の英国人を雇用している。英国にとって日本企業の事業展開は必要不可欠の部分となっている。日本企業にとっても母国言語が英語だから、大陸欧州よりも親和性がある。

前田　日英は2020年10月23日に日英包括的経済連携協定（CEPA）に署名した。英国が独立した貿易国として締結した初の通商協定だという。

金原　第2に、今後も英国とEUは、基本的には緊密で良好な経済関係が維持されると予想されるからだ。ブレグジットはいわば英国側からの一方的な離婚だったので、離脱交渉に臨むＥＵ側の態度は当初から極めて頑なで、交渉は難航した。しかし、英国は欧州でドイツに次ぐ経済規模を持ち、世界全体でも第5の大国だ。ＥＵの苛立ちはわかるが、ＥＵ市場から英国を切り離すことはＥＵにとっても大きなマイナスだ。両者の関係は最終的には経済合理性に基づき、ブレグジット以前と大差のない姿に落ち着く可能性が高い。

平川　それにしては離脱交渉は「相手に有利になることは一つも認めない」と思わせるほど、激しかったし、２０２０年1月31日に正式に離脱した後も、北アイルランドをめぐる問題で交渉が蒸し返されるなど、争点が絶えない。

金原　第3に、英国は伝統的に自由貿易志向が強い。同じ欧州でも、とかく保護主義に流れがちのフランス、イタリア、スペインあたりとは大違いだ。１９６０年にＥＵの前身の欧州共同体（ＥＣ）に対抗して英国が中心となって設立した欧州自由貿易連合（ＥＦＴＡ）は、今でこそ加盟国が減り存在感が薄れたが、ずっと自由貿易主義を貫いてきた。十数年前、日本の経済界が日ＥＵ経済連携協定（２０１８年に締結）の意義を主唱し始めたとき、欧州委員会はけんもほろろだった。本来は自由貿易志向のドイツもフォルクワーゲン社からの陳情で後ろ向きだった。日本とEUの協定に真っ先に支持を表明したのは、旧EFTAの英国と北欧諸国だった。最近、英国のTPP参加に向けた交渉が開始された。日本にとっても間違いなく朗報だ。

シティの地盤沈下は防げるか

前田　でも金融機関にとっては、ロンドンの金融街シティに拠点を置けば、EU域内で自由に営業できる単一パスポートの権利が奪われた。シティの地盤沈下は防げるのだろうか。

山口　単一通貨ユーロの導入を拒む一方で金融自由化のメリットを享受できるという点で、シティは英国にとって「EUのいいところ取り」の象徴的な存在だから、EU離脱の是非を問う2016年の英国の国民投票のときも、ロンドンでは残留派が主流だった。単一パスポート制度に基づき、非EU金融機関はシティに置いた拠点から、EU域内全体に金融サービスを提供してきたが、ブレグジットが決まったため、EU内に新たな拠点を設け、業務を移す動きが相次いだ。国民投票直後にはシティから数万人規模の雇用が失われるとの試算もなされた。ただ、アーンスト&ヤングによると、

2020年9月までにロンドンからEUに移転した金融関連雇用は、7500人ほどにとどまる。

前田　離脱が決まった当初は、シティに代わる金融センターはフランクフルトなのかパリなのか、はたまたダブリンなのかといった話題もあったけれども、町が大移動するような話ではなさそうだ。

山口　そもそも英国にとって、ブレグジットの目的の一つは、EUの規制の枠組みから離れて主権を取り戻し、グローバルにビジネス拡大をめざすことだった。他方、EU金融当局側にはシステミックリスク回避の観点から、ロンドンへの過度の依存を減らし、金融ビジネスの監視機能を保ちたいという思惑がある。だから今後も金融業を巡る不透明感は払拭されず、ロンドンからの業務移転は続く可能性がある。

前田　世界の金融センターを取材してきていろいろ思うけれども、そこで働くことがキャリアアップにつながるうえに、生活面、文化面などでも楽しい思いができるといった奥行きの深い都市でないと、なかなか一流の金融人材は集まらない。東京は背後の日本経済がだらしないから、ビジネスとしての面白い案件が少なく、キャリアアップにならない。日本経済に勢いがあった1980年代には、世界の大手金融機関が将来の最高幹部候補を東京に駐在させていた。

山口　ロンドンはニューヨークと並ぶ代表的な国際金融センターだ。シンクタンクＺ／Ｙｅｎ社の国際金融センター指数によれば、２００７年の公表開始以来この２都市は僅差で１～２位を争い、３位以下を大きく引き離してきた。２０２１年３月時点のランキングをみると、ロンドンは２位を守ったものの、首位ニューヨークに大きく水をあけられ、３位の上海に肉薄されている。

（図表 23）国際金融センターランキング (2021/3)

順位	都市名	指数値	前回 (2020/9) 順位
1	ニューヨーク	764	1
2	ロンドン	743	2
3	上海	742	3
4	香港	741	5
5	シンガポール	740	6
6	北京	737	7
7	東京	736	4
8	深圳	731	9
9	フランクフルト	727	16
10	チューリヒ	720	10
16	ソウル	713	25
22	広州	706	21
32	大阪	684	39
35	成都	678	43
40	台北	668	42
42	青島	665	47
47	クアラルンプール	652	41
59	バンコク	610	58
65	ムンバイ	599	35
79	マニラ	585	106
80	ニューデリー	584	49
92	グジャラート国際金融テックシティー	568	82
93	ジャカルタ	567	81

（注）11 位以下はアジア (中東を除く) の都市だけを掲載
（出所）Z/Yen グループ

前田　半年に一度作るそのランキングでは、東京は2020年3月調査で3位になったことはあるけれども、2021年3月調査では上海、香港、シンガポール、北京に抜かれて7位に急落した。スコアは2位のロンドンが743点、7位の東京が736点とほぼ団子状態でせめぎ合っているから、手を抜かなければ、また逆転の可能性はあるが。

山口　情報・人材の豊富さなどの強みを持つロンドンが欧州一の国際金融センターであることに変わりはない。フランクフルト、ルクセンブルクなどが順位を上げているが、EU側にロンドンに匹敵する金融センターができつつあるようにもみえない。ロンドンからの移転も業務分野ごとに特化するかたちでいくつかの都市に分散している。日本の金融機関にとっては、分散がコスト高をもたらすおそれがあり、欧州ビジネス全体の見直しを迫られている。

EUを理解するキーワード

平川　EUの本質を理解するうえで、重要なキーワードとは何か。

金原　三つある。1957年に締結されたローマ条約を原点とする欧州統合は、17世紀ごろまで遡る国家主権を前提とした民族国家の時代の誕生以来の初の試みであり、壮大な歴史的実験といっても過言ではない。紆余曲折を経ながら今なお拡大と深化が進行中のEUは、伝統的な国家間の同盟などとは本質的に異なり、自由貿易協定や関税同盟といった経済連携の次元を遙かに超えたものだ。EUの概念や構造は実に複雑で、包括的に理解するのは容易ではないが、その基本的性格を理解し今後の推移を観察するために役立つ三つのキーワードがある。

平川　日本人には難解なので、わかりやすい説明をしてほしい。

金原　一つめのキーワードは超国家組織（スーパーストラクチャー）だ。国連はじめいわゆる国際機関は加盟各国の完全な国家主権を前提としているが、EUは通商政策や競争政策はじめ、多くの分野で加盟国から国家主権を委譲されている。だから基本的性格は国際機関ではなく超国家組織になる。EUの行政部門にあたる欧州委員会は、約3万人の職員を抱える巨大官僚組織で、絶大な権限を持っている。たとえ相手がドイツやフランスのような中核的な加盟国であっても、EUの法令違反だと判断されれば、巨額の課徴金や罰金が科される。欧州統合が深化すればするほど、EUレベルでの規制や制度は増加し、欧州委員会の権限は拡大する。その過程で加盟各国の政府や国民との対立や軋轢も生じやすくなる。ブレグジットの要因の一つでもある。

前田　誇り高い英国が主権の一部を委譲するなんて、我慢ができなかったのだろう。

金原　二つめのキーワードは補完性原則（サブシディアリティー）だ。わかりにくい概念だが、単純に説明すると、最も実情を把握している下位の行政体（地元）が意思決定をするというガバナンスのあり方を指している。EUは各国内の自治体（州、県、市町村など）、各国政府、そして超国家のEUと3層構造だが、なるべく各国内での規律を尊重し、EUレベルでの関与を限定的にしている。欧州統合が進むにつれ、加盟各国

オランダ・マーストリヒトの市庁舎で1992年2月、欧州連合（EU）の創設を決める条約が結ばれた（写真はトリップアドバイザー）

独自の国内政策までEUに浸食されていくのではないかとの懸念を払拭し、EUの正当性をうたうための便法とも解釈できる。

平川　第一のキーワードとの関係がわかりにくい。国を超えた組織が共通のルールを作るのならば、国内法はなくてもいいように感じるが。

金原　確かにわかりにくい概念だし、サブシディアリティーなんて私自身も仕事でEUにかかわるまで聞いたことのない英単語だった。おそらく一般の米国人に聞いても「何それ？　英語なの？」といった反応じゃないかと思う。だけど、この補完性原則というのはEUの本質を理解するためのいわばキーワード中のキーワードなので、この後、説明が少し長くなるけど我慢して付き合ってほしい。

平川　何百年もの間、何度も戦争の悲劇に見舞われてきた欧州だから、平和共存への切なる思いに裏打ちされた原理・原則があるのだろう。

金原　日本におけるEU法研究の第一人者である早稲田大学大学院法務研究科の須網隆夫教授は

1997年に著した「ヨーロッパ経済法」（新世社）という著書で「補完性の原則とは、EUと加盟国の両者が権限を有する場合にどちらが権限を行使するかを定める原則である。EU条約は、加盟国によるよりもEUが行為した方がより良く目的を達成できる場合に、EUが行為すると規定している」と解説している。

前田　米国でも法律は州ごとに適用する州法と、全体に適用する連邦法とがあって、一般には州法に従う。だから例えば夏時間制度を採用するかどうかは、各州がそれぞれに決めている。しかし、連邦法では採用すると決めたのならば、開始日と終了日は国の基準に合わせなければならないと決めている。そうでないと、航空機のダイヤなどが滅茶苦茶になってしまうからだ。

金原　同じくEU法研究で新進気鋭の一橋大学大学院法学研究科の中西優美子教授は21世紀政策研究所編「英国のEU離脱とEUの未来」（日本評論社）に載せた論文で、「EUは補完性原則に従い、構成国（加盟国）レベルでは十分に目的が達成されず、かつ、EUレベルでは規模や効果の点からより良く達成できる場合のみ権限を行使できる」と解説し、その事例として環境分野をあげている。環境分野は欧州でも優先順位の高い政策分野だが、EUが常に立法権限を行使するわけではなく、地球温暖化への対応のようにEUレベルで取り組んだ方が効果的である場合に限って権限を行使できるというわけだ。

基本原則と権限争い

デスク　どちらが決めるべきかの振り分けの基準は、自明なのだろうか。

金原　あらかじめ決まっているというよりも、EU内の政治・経済・社会の法的統治をめぐって具体的に規制の適用などを判断すべきケースが出てきた場合に、この補完性原則に沿ってEUと加盟国政府との間で役割分担を決めるということではないか。私なりの解釈だが。

平川　なるほど。たいていのことはそれぞれの国内法で決めるのだけれども、バラバラにしておかないほうがいいと思われるようなルールは、原則に基づいて、EU法として制定するという理解でいいのだね。

金原　補完性原則適用のもうひとつの典型的な事例として、競争政策（独占禁止法）の分野に触れておきたい。私が外務省に出向し、欧州共同体日本政府代表部（在ブリュッセル）に勤務していた１９９０年代前半、欧州委員会はグローバル企業の拡大しつつある市場支配力に対処しようと、競争政策の強化に力を入れようとしていた。このときに持ち出したのが補完性原則だ。

前田　グローバル企業といっても、今のＧＡＦＡＭなどよりもずっと小さかっただろうが、それでも国境をまたぐ影響力の増大に、それぞれの国の国内法だけで対応するのは無理があるという判断だったのだね。

金原　各国政府の既存の国内法を適用するのか、それとも強化されつつあるＥＵ法規を適用するのかについては、対象となる業界や企業の規模や国内での市場占有率とＥＵ域内市場全体での市場占有率などによって決めようということになった。だから例えば、あるフランスのパン製造会社が独禁法違反に問われるほどの市場占有率をフランス国内で占めていたとしても、輸出比率が極端に低い、つまりビジネスのほとんどがフランス国内であれば、基本的には欧州委員会は関与せず、フランス政府当局に対応を任せるということになる。

平川　でも各国政府も欧州委員会もそれぞれ官僚組織だから、少しでも縄張りを増やそうと必死になるのではないか。日本だって、自治体に任せたほうがいいような行政権限を中央官庁がなかなか譲らない。

金原　まさにその通り。原則はあくまで原則なので、実際のさまざまな政策分野での適用については、加盟国から補完性原則が十分に遵守されていない、つまり「欧州委員会が出しゃばりすぎる」という不満や主張が繰り返されていて、ＥＵ法規の大掛かりな改正（１９９２年マーストリヒト条約、１９９７年アムステルダム条約、２００９年リスボン条約）のたびに補完性原則の厳格化や強化が図られてきた。国家主権に係わることだから、各国政府も簡単には譲れないのだろう。

平川　英国のＥＵ離脱交渉でもさんざん見聞きしたけれども、欧州の人たちは延々と議論して簡単には譲らないところがある。

金原　私が若いころに薫陶を受けた２１世紀政策研究所の初代理事長、田中直毅氏には、ＥＵに限定されない一般的な概念としてのスーパーストラクチャーを論じた名著がある。「スーパー・ストラクチャー―新しい世界の見方・考え方」（講談社、１９９９年）だが、そのなかで田中氏はサブシディアリティーを「権力・権限の下方配分」と定義づけ、スーパー・ストラクチャーの重要な構成要素だと強調している。

前田　スーパーストラクチャーはもともとは建築用語。普通のビルは鉄筋コンクリートの柱を数多く配置して全体を支えるが、超高層建築では巨大な４本の柱とつり橋のような構造で全体を支え、内部に柱のない広い部屋を設けるなど、自由度の高い設計をしている。世界の構造が今後、どうなるかを探るうえでも、興味深い概念だ。

金原　三つ目のキーワードは民主主義の赤字（欠如、デモクラフィック・デフィシット）だ。民主主義の大原則の３権分立がＥＵには担保されていないことを批判する場合に使われる。５年に一度の直接選挙によって選出される欧州議会には、肝心の法案提出権がなく、本来の意味での立法府からはほど遠い。政策の最終的な決定権は加盟各国の担当閣僚から構成される理事会にあるが、実質的な権限は選挙で選ばれたわけではない欧州委員と高給取りの欧州官僚から構成される欧州委員会にある。欧州委員会本部があるベルギーの首都ブリュッセルに３年間勤務した経験からいうと、欧州官僚はどこかベルギー国民から浮いた存在で、地元の庶民からもあまり愛されてはいないようだ。ジョークかもしれないが、ベルギー警察が真っ先にレッカー移動する駐車違反は、青色の欧州旗マーク（欧州官僚専用車ロゴ）のナンバープレートの車だとの噂もよく耳にした。

前田　ユーロと同じように、アジア統一通貨を作ろうという構想をときどき聞くけど、絶対に無理だと感じる。国際的な通貨危機に翻弄されないようにするために必要だという声はあるが、何らかの権限を超国家組織に譲ろうなどと考える国は、まず出てこないのではないか。ＡＳＥＡＮ（東南アジア諸国連合）10カ国ならば、ありうるかもしれないが。

金原　三つのキーワードを並べて改めて気づくのは、欧州経済共同体（ＥＥＣ）からＥＣ、そしてＥＵへの欧州統合は、「欧州はひとつであるべき」と考える欧州のパワーエリート層による、ときには強引なほどの強い政治リーダーシップが牽引してきたということだ。ブリュッセル勤務時代には欧州委員会幹部や欧州議員から「われわれはドイツ人でもフランス人でもない。ヨーロピアン・シチズンだ」という発言をよく聞かされた。ただ、パリの下町で先祖代々ずっとパン屋を営んできてフランス語しか解さない親父にとっては、ＥＵとか欧州統合とかはどこか他人ごとなのかもしれない。崇高な理念やビジョンを堅持したエリート層の存在は羨ましくもあるが、それが前のめりになれば、一般大衆はついていけなくなり、強く反発もする。

第7章　コロナ後の日本

コロナ禍の先の世界

インフレの足音が聞こえる

平川幸子　最終章はコロナ禍の先の世界についての話に充てたい。といっても明るい話だけではなさそう。金融市場の関係者はインフレの足音が聞こえるといっている。経済の回復力も国・地域によって差があり、日本は大きく出遅れている。

芳賀沼千里　コロナ禍で懸念された景気後退はどこへ行ったのか、現在、金融市場で最大の関心事はインフレだ。足元の米国の消費者物価指数の上昇は一時的な要因も多く、年後半に落ち着くだろうが、中期的には世界的に賃金上昇を伴う緩やかなインフレの時代に入る可能性がある。

前田昌孝　日本もだとしたら、超金融緩和に膨大なＥＴＦ購入を組み合わせ、マイナス金利にして、

（図表24）回復遅れる日本経済

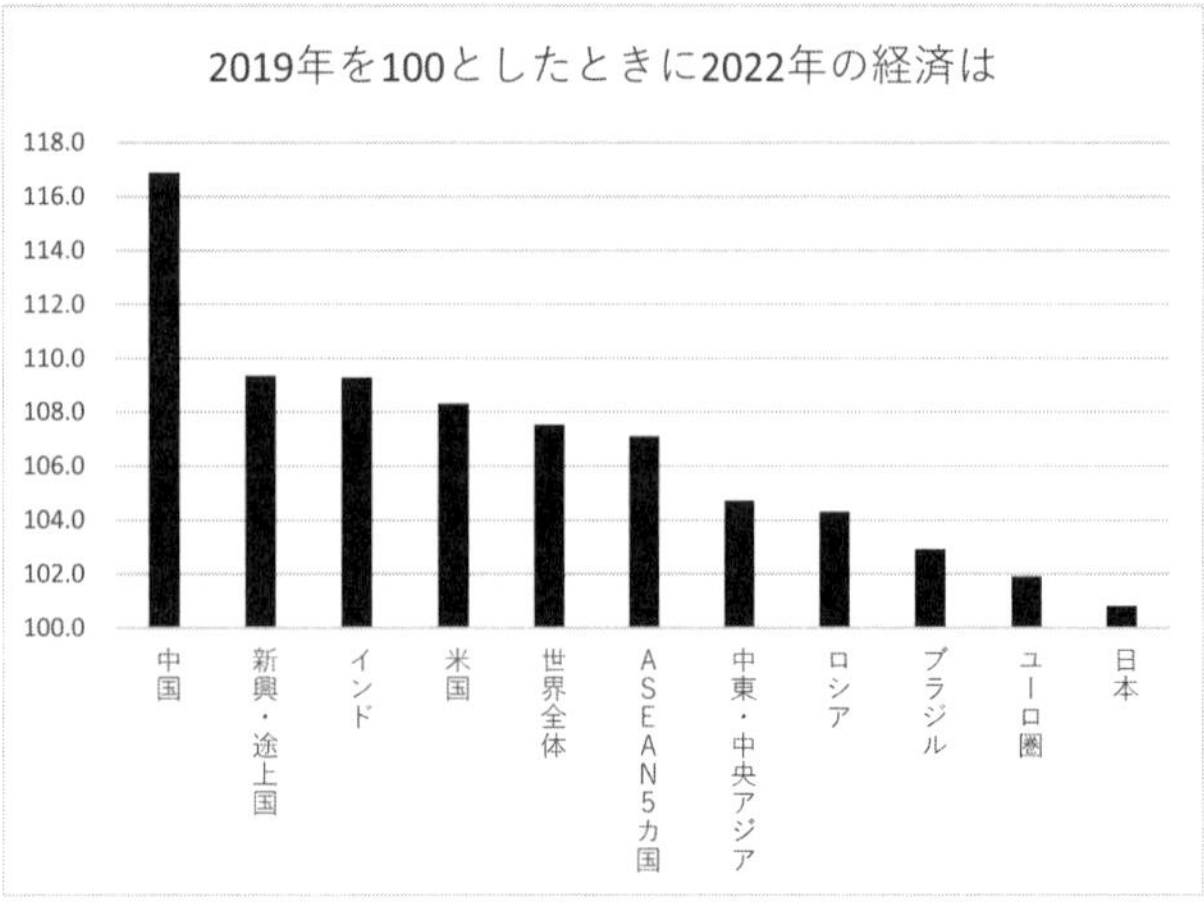

（出所）国際通貨基金「世界経済見通し」2021年7月をもとに筆者試算

長短金利の操作を加えても実現しなかった物価の上昇が、いよいよ起きることになる。年金生活者のわれわれにとっては痛いけれども。

芳賀沼　第１に、冷戦後の経済グローバル化に一巡感が出ている。１９９０年代以降、新興国経済が台頭して国際貿易が大幅に伸びた。中国は２００１年に世界貿易機関（ＷＴＯ）に加盟して、「世界の工場」と言われるようになった。この過程で国境を超えた生産工程の分業体制が構築され、経済の生産性を高めてディスインフレに寄与したと見ている。

前田　１００円ショップ最大手のダイソー（大創産業）の店舗数は２０００年に１５００店だったが、２０２１年２月末現在では国内だけで３６２０店になった。地方都市の駅ビルなどは１００円ショップがキーテナントだ。

芳賀沼　しかし、２００８～09年の世界金融危機以降、景気が緩慢ながら回復したが、国際貿易は伸び悩んでいる。新興国の輸出・輸入増加率の鈍化が顕著だ。この背景には新興国の所得（賃金）上昇がある。中国の人件費は２０００年ごろに日本の20分の1だったが、現在は4分の1程度といわれる。管理職クラスでは中国のほうが高いこともある。２０２１年6月25日付の日本経済新聞は「安いニッポン」で日本の低賃金放置の問題点を指摘した。

平川　中国の人件費が上昇したのならば、１００円ショップの経営が苦しくなるのが自然なのに、方向は逆だ。日本の場合は低賃金が放置され、消費者の購買力が高まらないので、値上げしたくてもできなかったというわけか。

芳賀沼　今後、米中対立と新型コロナへの対応が貿易の伸び悩みに結び付くと見ている。米国のバイデン政権は、米中の技術覇権争いや安全保障を考慮して自国産業の保護を明確にしており、半導体などの最先端製品の国内生産を支援している。企業は安全性を重視してサプライチェーンの見直しをしている。

前田　でもハイテク製品は消費者物価指数を押し上げないと思う。技術進歩によって同じ値段でより高性能な製品が買えるようになるから、物価指数の計算上、小売価格は同じでも品質調整が入って価格が下がったとみなされることが多い。

芳賀沼　さらに移民受け入れは先進国の労働者の雇用機会を奪う面があるため、政治的に看過できなくなっている。コロナ禍を受けて社会や医療体制の安全を確保する目的からも、移民受け入れは抑制されると思う。先進国では移民の依存度の高い職業を中心に賃金上昇圧力が高まりやすいと見ている。

前田　先進国といっても、値上げが通りやすい国と通りにくい国がある。日本は後者だ。コストが上がり、背に腹を代えられなくなれば、表面的な価格を変えずに内容量を減らしたり、似たような新製品に置き換えたりする。これは物価指数の計算上、値上げと判定されるけれども、例えば普通郵便の配達日が投函翌日から翌々日に延び、土曜配達をしなくなるのを「サービス品質が低下した分、値上げだ」とカウントすれば、物価指数は上がる可能性があるが、日本ではそんな計算はしていない。

格差や高齢化も物価押上げ

芳賀沼　第2に、金融・財政政策が一体化して雇用改善を重視した政策を取り始めている。2020年8月、米連邦準備理事会（FRB）は2%超のインフレを許容して最大雇用を徹底的に追求する姿勢を明確にした。財政面では新型コロナ対策のための累計財政支出額（対名目GDP比率）が米国、英国、日本、ドイツで各々25・5%、16・2%、15・9%、11・0%に達している（IMF「財政モニター」2021年4月）。

前田　確かに日本の最低賃金は2021年度に全国平均で28円を目安に引き上げられることになった。引き上げ幅は過去最大、引き上げ率は3・1%だという。時給1000円は政府の目標だから、これは進むのだろう。ただ、経営者は人件費の支払総額が膨らまないように、人員を調整するなど細心の注意を払うと思う。

芳賀沼　所得格差が社会的・政治的に許容できない水準に達していることが背景だ。米国では所得上位1%の富裕層が全体に占めるシェアは1980年代の平均12・0%から2019年に18・7%に上

（図表25）超富裕層のシェア拡大

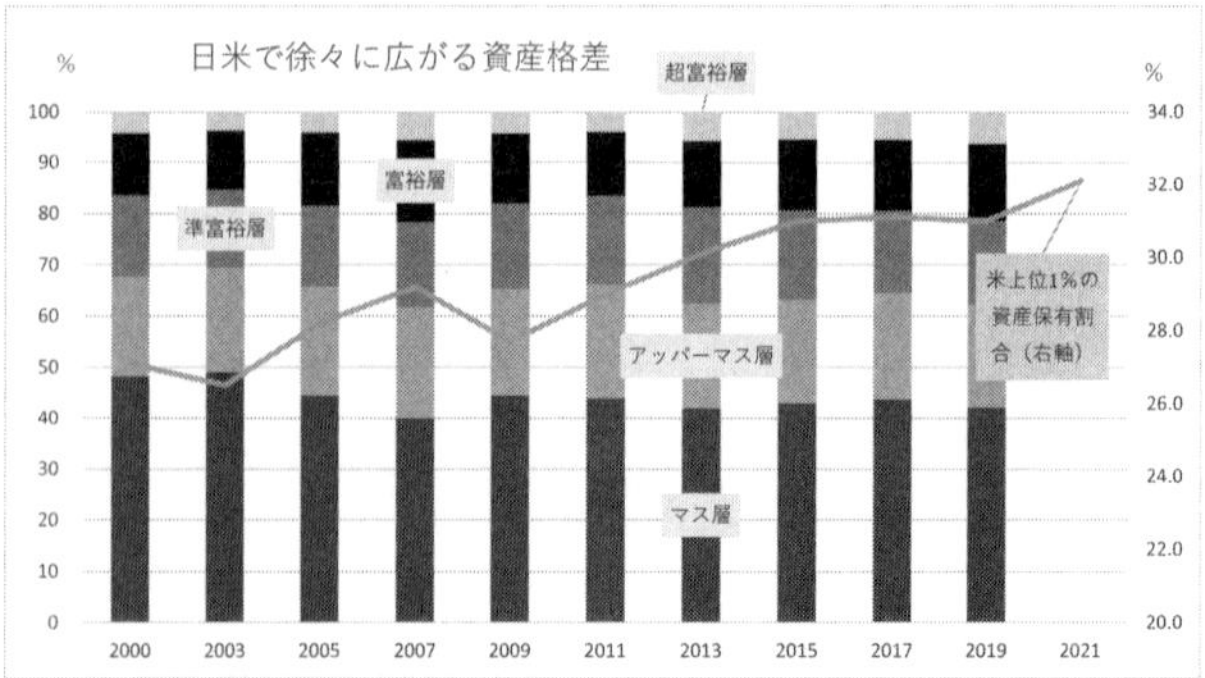

（注）マス層は保有金融資産（負債を差し引いた純金融資産）3000万円未満、アッパーマス層は3000万円以上5000万円未満、準富裕層は5000万円以上1億円未満、富裕層は1億円以上5億円未満、超富裕層は5億円以上。米国は各年末（2021年は3月末）
（出所）野村総合研究所と米連邦準備理事会（FRB）のデータをもとにグラフ化

昇した。資産格差もじわじわと広がっている。２０１６年秋にトランプ氏が米国大統領選挙に勝利した一因は所得水準の低い白人層の不満であり、民主党でも社会主義的な政策を掲げる左派が存在感を高めている。

前田　日本では大卒男子30歳代や40歳代の賃金低下が著しい。就職氷河期で正社員の職を確保できなかった人が多いためでもあるけれども、政府が女性活躍に旗を振っているため、管理職のポストが女性に奪われ、昔なら部課長になっていた男性の昇格が遅れ、役職手当が得られなくなったからだ。大卒正社員の賃金低下は格差是正に結び付くかもしれないけれども、もともとたいしてもらっていないのに、厳しい話だと思う。

芳賀沼　コロナ禍で産業構造の転換が加速し、事業環境の格差も広がっている。幅広い産業で雇用が伸びる状況では、現時点で需給が逼迫している産業では労働者の賃金が大きく上昇するだろう。消費性向は所得水準の低い層が相対的に高く、高い層が相対的に低い。所得格差の是正が進めば、社会全体の消費性向を高めるので、財やサービスの需給逼迫に結びつく。雇用改善を通じて所得格差が縮小する経済ではインフレ圧力が強まると考える。

前田　高額所得者がさらに多くの所得を得ても、消費額は限られて大半は貯蓄に回るので、経済の活性化に結び付かず、格差の拡大と景気の停滞は表裏一体だといわれていた。株式ストラテジストで人気トップの芳賀沼さんは、これまでの逆のことが起きるという。

（図表 26）役職者の男女構成比と年齢階級別の役職者の割合

		役職者の男女構成比		役職者の割合	
		2010	2020	2010	2020
男	全年齢	94.8	87.9	38.2	40.1
	30～34歳	87.6	78.1	17.8	19.3
	35～39歳	94.2	84.8	37.4	37.0
	40～44歳	95.8	87.7	54.4	51.4
	45～49歳	96.0	90.1	63.4	60.8
	50～54歳	96.2	91.7	66.2	63.2
	55～59歳	97.3	93.9	61.7	57.9
女	全年齢	5.2	12.1	9.3	14.8
	30～34歳	12.4	21.9	9.3	12.7
	35～39歳	5.8	15.2	14.7	18.9
	40～44歳	4.2	12.3	21.8	25.7
	45～49歳	4.0	9.9	29.3	32.4
	50～54歳	3.8	8.3	30.0	35.0
	55～59歳	2.7	6.1	25.8	28.3

（注）従業員数 100 人以上の企業の大卒・大学院卒の一般労働者（短時間労働者を除く）
（出所）厚生労働省「賃金構造基本統計調査」のデータをもとに筆者試算

価値観の変化が値上げを容認

芳賀沼　第3に、社会の価値観の変化が物価を押し上げる可能性がある。一つの例がESG（環境・社会・ガバナンス）投資の拡大だ。環境を重視する経営は、重要性が認識されていたにもかかわらず、コスト上昇が問題視されて十分に広がっていなかった。過去数年間、環境を害する事業は株主や投資家からも批判されるようになった。企業は脱炭素のための追加投資など、さまざまな取り組みをしており、製品の製造コストを押し上げることになる。

前田　環境に配慮した製品ならば割高でも買うという最近の消費者の購買姿勢が本物ならば、企業の環境重視経営はペイする可能性が高まる。これまで社会的課題にきちんと対応する企業といわれても、だいたい出てくるメンツは同じだった。多くはもともとブランド力や市場支配力が強く、価格決定力を備えた企業だった。新たにいいものは高く売るというビジネスモデルに転換する企業が増えれば、物価は徐々に押し上げられるかもしれない。

芳賀沼　企業は株主だけでなくステークホルダー全体に配慮する経営が求められるようになり、事業の「効率性」よりも「持続性」を、「コストの極小化」よりも「リスクの極小化」を目指す戦略を取り始めている。主要国の政府が炭素税やカーボンプライシングの導入など環境重視の取り組みを加速させていることにも対応せざるをえない。

前田　排出権の価格次第では、排出権を売って稼ごうという企業も出てくるかもしれない。方向感はわかるけれども、産業界に隠然たる力を持つ大企業に、多額の炭素税を負担させるような政策の導入は、簡単には進まないと思う。電気自動車が普及すると、揮発油税を取れなくなるから、道路を傷める具合を反映して、重量税を走行時の重量の4乗に走行距離を掛け合わせた数値に比例させようという案もある。日曜ドライバーは大助かりでも、事業者は猛反発するだろうね。

芳賀沼　見方が分かれるのが、高齢社会の進展の影響だ。日本の経験から、高齢社会ではデフレ圧力が強まるといわれる。しかし、高齢社会がインフレ要因になるという分析もある。生産年齢人口（15歳〜64歳）の構成比が高い経済は、財やサービスの供給力が増えて成長率を押し上げるとともに、製品価格に下落圧力が生じる。

前田　高齢者はもういろいろなものを持っているから、モノを買わない。もっぱら必要とするのはサービスだ。これまで同様、モノよりもサービスの価格が上がる傾向は続くだろうけれども、その恩恵を受けるのは、もっぱら人的サービスを提供する中小・零細企業ではないか。まだモノをそろえるニーズが高い生産年齢人口の構成比が高い経済のほうが、製品価格が上昇しやすいと思う。

芳賀沼　従属人口（15歳未満の子どもと65歳以上の高齢者）の構成比が高い場合、彼らは消費者だが、生産活動をしないため、財やサービスの需給が逼迫しやすい。需要が総人口で決まるなか、就業者の構成比が低下すれば、慢性的な労働力不足が起こるので、賃金が上昇してインフレ圧力が高まることになる。インフレ率が高まった1960～70年代には、第2次世界大戦後のベビーブームを受けて、15歳未満の子どもが増え、従属人口比率が上昇した。今後、先進国では65歳以上の高齢者が増加して同比率が高まると見込まれる。

前田　15歳未満の子どもはモノを買う。65歳以上の高齢者はサービスを買う。それに日本はすでに総世帯に占める世帯主が65歳以上の世帯の割合が2020年の実績で45・4％に達し、これらの家計の消費総額は日本の個人消費総額の39・5％を占めている。2002年にはそれぞれ27・8％と22・9％

（図表 27）個人はひたすら普通預金

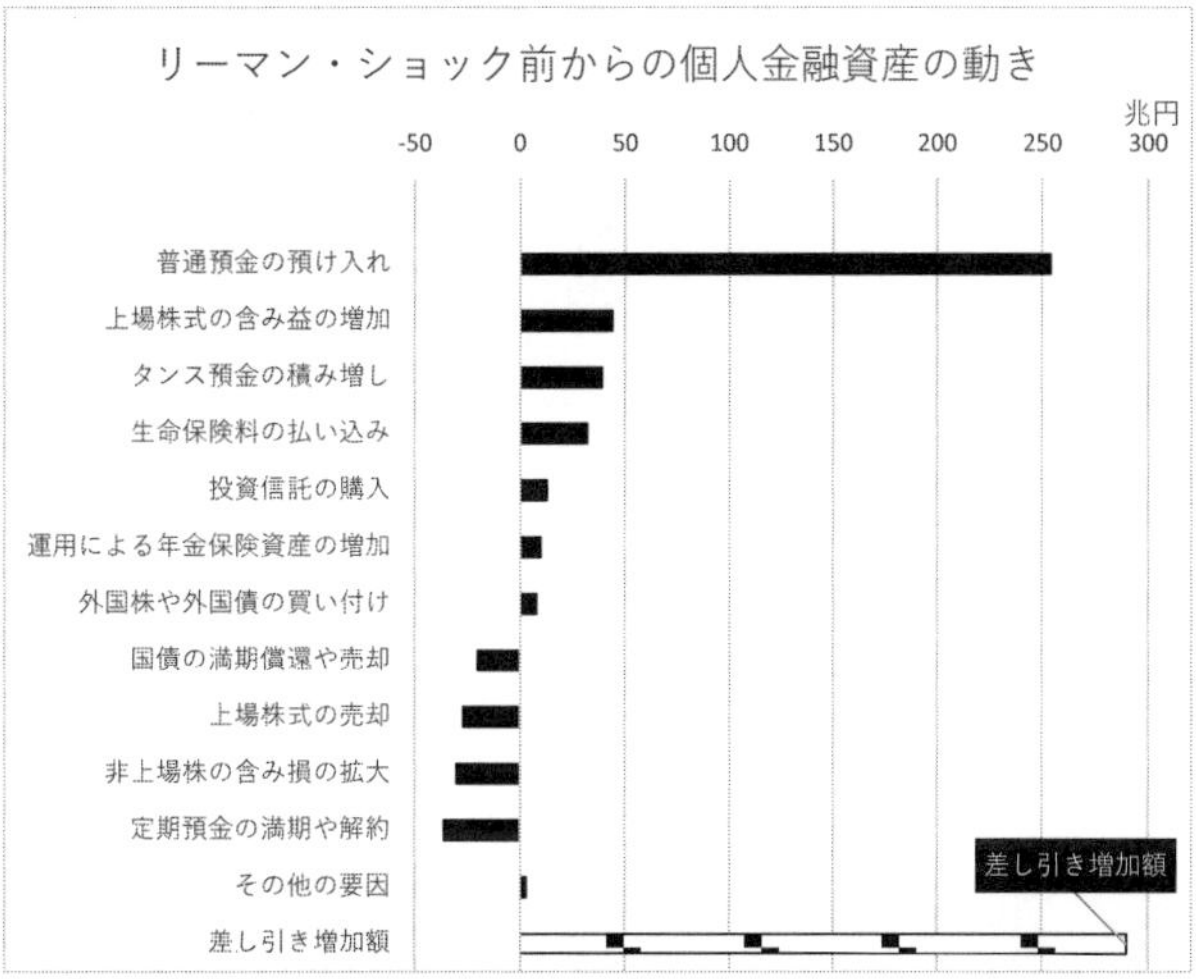

（注）2007 年 6 月末から 21 年 3 月末までの動向。含み益の増加は含み損の減少を、含み損の増加は含み益の減少を含む
（出所）日銀「資金循環統計」のデータをもとにグラフ化

だった。芳賀沼説が正しいのならば、もうインフレになっていなければならない。

芳賀沼　日本経済が１９９０年代後半からデフレに陥った一因は、女性が働くようになり、高齢化による労働力の減少を補ったことだろう。厚生労働省の統計によると、女性の就業者数は２０００年の２６２９万人から２０１９年に２９９２万人に増加した。さらに年功的な賃金・処遇制度が見直され、非正規雇用が拡大したことが賃金の押し下げ要因になったと考える。

前田　男性中堅層の賃金は下がったが、共働きが一般的になり、家計の夫婦合計の購買力は高まったというのが私の理解だ。しかし、将来不安があるので、出費は極力抑え、一部はつみたてＮＩＳＡに、大半は銀行の普通預金に回したと思う。預金先はメガバンクか地域の中核の地方銀行で、第二地方銀行以下は敬遠された。金融危機があっても大丈夫そうなところか、政府が救済しそうなところだけだ。

芳賀沼　インフレには原油・資源価格が大幅に上昇した１９７０年代のイメージがある。しかし、数年後に起こりうるインフレは、消費者物価上昇率が１％台から３％台に高まった米国の１９６０年代後半の状況に近いだろう。この時期、米国では戦争から戻った労働力が吸収されて失業率が３％台に低下するなか、福祉政策の充実やベトナム戦争による財政拡大策が取られていた。大学時代、あまり勉強をしなかったが、忍び寄るインフレ（クリーピング・インフレーション）という表現が使われたことを記憶している。

前田　日本の戦後の経験では、インフレ時には賃金水準の上昇率が消費者物価指数の上昇率を上回るので、現役世代は働き続けることが大切だ。職業能力に磨きをかけ、人間関係にも気を配り、どこからもお呼びがかかるようにしておきたい。年金生活者は年金収入が確実に目減りするので、将来の支出が膨らまないように生活設計を組み立て直す必要があるだろう。

芳賀沼　今後2～3年のうちに主要先進国で2％を超えるインフレが定着するシナリオは看過できない。この場合、世界的に長期金利は1980年代からの低下局面が終わり、上昇局面に入るだろう。

（図表 28）物価と賃金と資産価格の上昇率

	消費者物価指数	現金給与総額	日経平均株価	住宅地地価	金小売価格（税別）
1950年代	50.0	164.3	**997.6**		*47.1*
1960年代	74.9	210.4	96.3	**513.9**	*16.9*
1970年代	*135.9*	248.1	213.4	207.3	**552.0**
1980年代	21.5	40.5	328.5	**332.9**	▲ *59.4*
1990年代	7.5	**7.9**	▲ 41.8	▲ *48.1*	▲ 44.5
2000年代	▲ 3.0	▲ 10.5	▲ *41.6*	▲ 23.5	**242.9**
2010年代	7.0	*0.0*	**126.9**	5.5	76.1
2020～21年	▲ *0.2*	0.4	**27.1**	0.1	3.3

（注）単位%、▲はマイナス。現金給与総額は 5 人以上の事業所、消費者物価指数（ 全国 ）は帰属家賃を除く総合、日経平均は日々終値の年平均値、住宅地地価は地価公示。時系列データがない場合は適切な代替データを使用した。2021 年は 7 月末までに公表されたデータに基づく
（出所）厚生労働省、総務省、国土交通省、田中貴金属のデータをもとに筆者試算

前田　金利水準は日本の物価指数に関係なく、米国の長期金利が上がれば上昇すると思う。変動金利の住宅ローンを組むのは、慎重に考えたほうがいいかもしれない。なお、株価と物価とどちらが値上がりしやすいかは、世界79カ国の過去15年余りの実績を調べたところ、確かなことは何も言えない。

備えと憂え

焦点は1人当たりGDPの向上

平川　本当に物価が上昇基調になれば、ただでさえ少子高齢化のハンデがある日本にとっては、ますます経済のかじ取りが難しくなるのではないか。

山口綾子　人口減少が続く日本経済には、経済規模の拡大をめざす成長戦略は望ましくない。生産性の向上を通じ、1人当たりのGDP増加と生活の質の向上をめざしていくべきだ。この意味で教育・訓練の充実に加え、コロナ禍で進んだテレワークなどの新しい働き方の潮流を定着させていきたい。高齢化先進国として、健康寿命の長期化、高齢者雇用、高齢者向けサービスなどで、世界をリードしていくことも期待したい。

前田　1人当たりGDPに焦点を当てるということは、高齢者は健康な限り、死ぬまで働くことが前提だ。上司の監視の下、午前9時から午後5時までみっちり働くのはいやだけれども、自分の都合で働けるのならば、毎日が日曜日よりも何かやっていたほうがいい。妻もずっと働くといっている。

平川　それにしても、少子化を止められるような特効薬が見当たらない。どうすればいいのか。

島崎謙治　人口学的には、日本の少子化は結婚要因（未婚・晩婚化）と出生要因（夫婦から生まれる子ども数の減少）の二つで説明できる。しかし、本質的な問いは、なぜこうした結婚行動や夫婦出生行動の変化が起こるのかだ。「教育や住宅を含め子育てに要する費用の増加」「就労と出産・子育ての両立支援策の不足」「雇用の非正規化や長時間労働」「家族機能や地域コミュニティの変化」「価値観の多様化や高度情報化」などが理由として挙げられる。相互に複雑に絡み合っているから、ある政策を打てば出生率が向上するという単純な問題ではない。迂遠に見えても、結婚や出産・子育てをしやすい環境整備を総合的かつ継続的に行うことが大切だと思う。

平川　出生率の数値目標を掲げ、さまざまな政策をその実現に向けて集中させるのはどうか。

島崎　少子化社会対策大綱には「希望出生率1・8の実現」という言葉がある。希望出生率とは、国の調査によれば、できれば結婚したいと思っている若者は約9割、夫婦が希望する子どもの平均数が2人であることを根拠に算出（0・9×2）した数値だ。しかし、私が知る限り、先進諸国で出生率の回復目標を明示的に掲げている国はない。これは結婚や出産はプライベートなことがらであり、国が数値目標を掲げるのはおかしいという考え方に基づいている。数値目標を掲げると「国はいろいろな政策を打ち出しているが、本音は出生率の向上が目的なのだ」と受け止められかねない。「衣の裾から鎧がみえる」という印象を与えてしまう。

（図表29）減少続く生産年齢人口

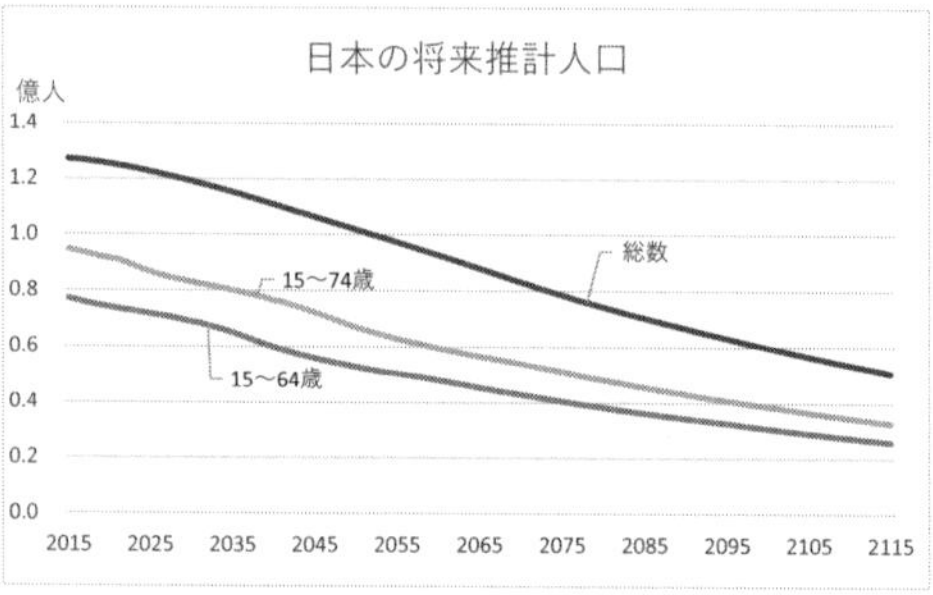

（注）2015年の国勢調査に基づく推計。出生中位・死亡中位のケース。各年10月1日現在。外国人も含む
（出所）国立社会保障・人口問題研究所のデータをもとにグラフ化

前田　国内総生産（ＧＤＰ）を分解すると、労働投入量と資本投入量と全要素生産性になる。画期的な技術革新などが起きなければ、生産年齢人口が減ればＧＤＰも減ってしまう。生産年齢人口を２０２０年は15～64歳、２１１５年は15～74歳と考えても、国立社会保障・人口問題研究所の中位予測では現在の７４０５万人から95年後に３２６３万人へ55・９％減る見通しだ。年率では０・86％減になる。フランスの経済学者トマ・ピケティは２０１３年に著した「21世紀の資本」で、世界の資本収益率は過去２００年以上、年平均５％程度だったと分析している。人口減少社会でもこの収益率が実現するのだろうか。

平川　子どもが減り、人口が減っていく日本では、当然ながら収益が上がらないだろう。しかし、日本は世界の一部だ。世界で経済が回れば、日本にもチャンスがある。物の輸出入に加え、資本や労働力の流動化を視野に置くべきだ。

「安いニッポン」の脱却を

前田　できることはいろいろあるのではないか。できない理由ばかり並び立てるのはそろそろ卒業すべきでは。

平川　なぜそう考えるのか。

前田　「リーダーが悪い」「国民に危機感が足りない」という人も多いが、国民一人ひとりが出せる力を出していない面もある。日本人が本質的にダメになったとは思えない。自然災害などがあると、若い人を中心に大勢がボランティアで駆け付ける。自分の人生を意義のあるものにしたいと思っている人がいかに多いかの表れだと思う。一人ひとりの内なるパワーを日本全体としてうまく活用できていないことが問題だ。

平川　日本人は、若者から年寄りまで、今の生活がまあまあ幸せで、何が何でも何とかしないといけないという強い動機がない。若い人の今の幸せは、親の収入に支えられているだけの幻想かもしれない。年寄りには年金と健康保険の制度が支えだ。親が死んだら、年金制度が崩れたら、立ちゆかない可能性がある。本当は危機感を抱くべきなのだけれど、今一つ身に迫ってはいない。

前田　ゆでガエルだね。でも政府が国民を甘えさせている面もあるのでは。例えば日銀が力の限りを振り絞って取り組んでいる円安政策。おかげで多くの製造業の業績は安泰だけれども、1人当たり国内総生産（GDP）の国際順位は低下の一途。海外旅行をすれば日本がいかに貧乏な国になったか実感する。

平川　このまま子どもの数が減り続け、移民の統合が進まなければ、若者の幸せも年寄りの幸せも、いつか必ず崩れてしまう。

（図表 30）主要国・地域の 1 人当たり名目 GDP（単位ドル）

国・地域	1980	1990	2000	2010	2020	2026見通し
スイス	19,464	39,888	39,077	77,434	**86,849**	112,520
ノルウェー	15,746	28,187	38,048	87,356	**67,176**	92,320
米国	12,553	23,848	36,318	48,403	**63,416**	80,959
シンガポール	5,005	12,763	23,853	47,237	**58,902**	75,854
オーストラリア	10,987	18,835	20,851	56,460	**52,825**	73,928
スウェーデン	16,877	30,254	29,589	52,659	**51,796**	72,698
香港	5,664	13,281	25,574	32,421	**46,753**	61,786
ドイツ	11,110	20,249	23,925	42,380	**45,733**	62,969
カナダ	11,280	21,572	24,297	47,627	**43,278**	61,199
ニュージーランド	7,245	13,440	14,025	33,376	**41,127**	56,341
英国	10,722	20,855	28,213	39,580	**40,406**	58,602
日本	9,659	25,896	39,173	45,136	**40,146**	53,374
フランス	13,070	22,490	23,212	42,179	**39,907**	53,438
韓国	1,715	6,610	12,263	23,077	**31,497**	42,773
イタリア	8,548	20,624	20,153	35,805	**31,288**	40,839
台湾	2,367	8,167	14,844	19,181	**28,306**	40,827
スペイン	6,128	13,694	14,761	30,567	**27,132**	37,950
中国	307	347	951	4,500	**10,484**	17,003
ロシア			1,902	11,431	**10,037**	13,755
トルコ	2,134	3,738	4,238	10,533	**8,548**	14,030
メキシコ	3,384	3,450	7,166	9,299	**8,421**	11,124
タイ	705	1,564	2,004	5,074	**7,190**	10,007
ブラジル	1,230	3,106	3,772	11,333	**6,783**	9,927
ベトナム	653	122	499	1,629	**3,499**	5,532
インド	271	374	451	1,384	**1,965**	3,115
ミャンマー			170	775	**1,527**	1,937

（注）国・地域によって 2020 年は実績の場合と推計値の場合がある
（出所）国際通貨基金「世界経済見通し」

前田　私たちの子どもたちの世代には変わってほしい。仕事を通じてなのか、その他の何らかの有意義な活動を通じてなのかわからないが、とにかく自己実現の方法をよく考え、人生を無駄にしないでほしい。パチンコ店に朝10時の開店に合わせて大勢の若い男女が並んでいるのを見ると、悲しくなる。もちろんたまにはパチンコも楽しいのだけれども。

平川　社会的にも問題がある。50歳～60歳の親の収入が高いと、20代の子どもは親の給料と家事労働を頼りにし、ときに自分の小遣いのためにバイトする生活が正解だという状況に陥る。頑張って仕事をして自分の生活を支えなければならないとも、同じ年ごろの収入が少ない人と結婚しようとも思わなくなる。昔は家事手伝いといわれる女性に見られた現象だが、今は若手男性にも見られる。

前田　大手広告会社の女性社員の自殺は痛ましかったが、私たちの多くはブツブツ文句を言いながらも、相当なハードワークをこなしてきて、今日に至っている。組織では大なり小なり中枢の仕事をしてきた。それが自分たちの能力の生かし方だという自負もあったと思う。ワーク・ライフ・バランスを重視する生き方を否定するような労働の強制は絶対に慎むべきだが、仕事をしたい人がとことん仕事をできるような環境を維持することも重要ではないだろうか。

平川　当たり前だ。仕事をしたい人は、とことん仕事をすればいい。ただ、仕事を長時間している人が、仕事を長時間しない人を意思決定から排除するのはどうかと思う。仕事は成果で測るべきで、時間で測るべきではない。

前田　企業には従業員の健康管理の責任もあるから、何をどこまでやらせるかの基準設定はけっこう難しい。テレワーク環境が整うことは、パソコンの接続時間の上限でも設けない限り、仕事をしたい人はとことんサービス残業ができることでもある。「成果で測る」という理屈はわかるが、変な測り方をしたら、社員は勤務先に不信感を抱く。誰が何をどう測るのか難しい話だ。

デスク　テレワークが定着するとみて郊外に家を買い、出社を求められて途方に暮れている人もいるらしい。

前田　テレワークは諸刃の剣だ。仕事のアイデアも出せない指示待ち族にはなるべく在宅勤務をしてもらったほうが通勤交通費の節約になるし、オフィスのスペースも小さくできる。その社員の仕事を人工知能（ＡＩ）が取って代わるまで、「自宅でなるべく効率的にやってください」ということになりかねない。出社するのは役に立つ社員だけでいいという話になる。

ESGへの取り組み

技術は必ず開発される

平川　２０５０年に温暖化ガスの排出を差し引きでゼロにするという菅前政権が立てた目標について、実現可能性などをどう見ているのか。

清水康弘　温室効果ガスを７％削減するという京都議定書が発効した２００５年に環境省で地球温暖化対策課長という仕事をしていた。ちょうど、小池百合子東京都知事が環境大臣をしていた時期で、クールビスなどのキャンペーンを事務方として支えた。当時、政府全体の温暖化対策を定めた「京都議定書目標達成計画」を作ったが、経済産業省の抵抗が非常に強かった。経団連からも温暖化対策は国力を低下させるという反対論が強く、私は国賊扱いされた。当時のことを思い出すと、今回の菅前政権が大胆な目標を打ち出したのは、隔世の感がある。

前田　本書の第1章の冒頭で平沼さんが菅前首相の打ち出したカーボンニュートラルの政策を持ち上げていたけれども、民主党の鳩山由紀夫首相（当時）が２００９年9月に国連演説で二酸化炭素の排出量を２０２０年までに１９９０年比25％削減すると発言したときは、日本の産業界は「宇宙人が勝手なことを言うな」と総スカンにしたね。

清水　私は、２０１７年から２０２０年までギリシャで大使をして欧州連合（ＥＵ）の動きも見ていたが、温暖化対策とデジタルトランスフォーメーション（ＤＸ）で社会を変えていくというのがＥＵの基本政策になっている。バイデン政権が誕生して、温暖化対策が抜本的に強化されるという流れは、国際的な潮流なので、乗り遅れるな、というのが菅前総理の判断だったのではないか。

前田　しかし、その後の政策の流れを追うと、中間目標年次の２０３０年度までに再生エネルギーの電源構成に占める割合を現行目標の22～24％から36～38％に引き上げるため、太陽光発電を大増設するという。原子力発電所は再稼働済みの10基に加え、再稼働を目指している17基を全面稼働させ、20～22％を賄うらしい。それでも石炭火力が19％を占めるため、西欧に比べて後ろ向きだと批判されている。

清水　温室効果ガス排出を実質ゼロにするという目標の実現可能性について疑義を持つ人がいるのは

理解している。しかし、私は規制や目標に対応した技術が今はなくても、将来は必要性に応じて必ず開発されるという楽観論に立っている。今ある技術をもとに考えるのではなく、将来の理想的な社会を実現するにはどんな技術やシステムが必要か、将来から逆算して考える「バックキャステング」の思考法が極めて重要だ。

前田　素人だから的外れかもしれないが、水素還元製鉄、二酸化炭素を空気中から直接回収するダイレクト・エア・キャプチャー（ＤＡＣ）など、現在は実験室レベルの技術を大規模に展開しなければならないのかもしれない。ハードルはものすごく高そうだ。

清水　昔、トヨタ自動車のハイブリットカーのプリウスのファンクラブを主宰していた時期があり、当時、プリウスの主査をしていた内山田竹志トヨタ会長に話を聞いたことがある。革新的技術は革新的な思考法から出てくることが理解できた。できない理由を考えるのではなく、どうやったら実現できるのかを発想する、こうした前向きの姿勢が日本を変えていくのではないか。

前田　金融面からの後押しも重要だろうが、株式市場の取材者の観点から言うと、例えば公的年金を運用する年金積立金管理運用独立行政法人（ＧＰＩＦ）が、運用成績を犠牲にしてでもＥＳＧ投資をどんどん拡大させていいのかどうか、国民の合意が得られていない。ＥＳＧ融資ならば、お金を付けるか付けないかの判断だが、ＥＳＧ投資は難しい。有望企業ならば先に株価が上がってしまう。株価が割安なダメ企業への投資に比べて、リターンが大きいとは限らない。「ＥＳＧ絡みの情報公開を強化させ、いい企業の株式だけを買おう」というのが、世の中の大きな流れだけど、ダメな企業の変化を買うほうが有効かもしれない。

デスク　ドイツが同一年限のグリーン国債と非グリーン国債を同時発行している。両者の利回りの差が、専門家の間では環境重視の資金調達のコストが自然体の資金調達コストをどれくらい下回るかの指標になっているという。

前田　非ＥＳＧからお金を引き揚げ、ＥＳＧに集中させるという考え方はわかるが、グリーンウオッシュなど実態もないのにＥＳＧ重視の振りをして、低コストの資金を集める行動をどう排除するかは悩ましい。マイニングに大量の電力を使うビットコインなどの暗号資産、家庭の電気使用量の約５％を占めるという待機電力、航空機の近距離国内線などは直ちに規制すべきだと思うが、どういう判断基準で物事を決めているのかよくわからない。

平川　公的年金の運用は、慎重であってほしい。個人投資家にとっても、有望企業の株を長期に保有していれば必ず儲かるなんて、ぜったい嘘だ。株価って何なのか、株価はどう動くのか、なぞだ。GPIFは図体が大きいから、株式市場であまり変な動きをしてほしくないなと漠然と思っている。

私たちの「今」はどこに

新しい「今」によって塗り替えられる

太田昭子　ところで、私たちはときどき「今」という言葉を使うけれども、実は私たちの「今」の多くは、どんどん新しい「今」に取って代わられ、「過去」の事象になっている。現在の大学生は、2001年の同時多発テロの衝撃を体験していないし、日本の民主党政権時代の記憶もおぼろげだ。先日、授業で1926年の英国のゼネストの話をしていたとき、1人の学生から「イギリスでは頻繁にストライキが起きていたのに、なぜ日本ではストが起きなかったのか。日本の労働文化って何か」との質問を受けた。私たちの世代がリアルに経験したことが、21世紀の大学生にとっては過去のよく知らない知識の断片にしかすぎないのを実感した。

前田　だから若い人たちと話をしていても、私たちがリアルタイムという意味で語る「今」が、若い人たちの世界では歴史上の出来事になっている可能性がある。話がかみ合わないとかそういうことではなくて、面白いと思うことも違うし、アートに対する感性なども同じ日本人ではないようだ。どんな社会を築きたいとかといった議論も、若い人と真剣にやると、意識の差がいろいろと浮き彫りになるかもしれない。

太田　記憶があいまいなのも、過去の事象を知らないのも、仕方がないかもしれない。現在の日本でストライキが少ないのは確かで、これを「なぜか」と問う姿勢自体は、歓迎すべきことだともいえる。でも「ストが起きなかった日本の労働文化は」と、事実誤認に基づく議論を始めてしまうとやはり、とんでもないことになる。

前田　若い人たちが前提を取り違えるだけでなく、私たちも間違うことがある。例えば、政治家や経済人のなかにも「終身雇用制は日本固有の文化だ」などという人がいる。戦前にそんなものはなかったし、終身雇用という言葉自体、戦後生まれなのに。もちろん「固有の文化ではないのだから、崩してしまえ」などと単純化するではないけれども、維持すべきかどうかは、利害得失を含めてもっと根本的なところから考えなければならない。

太田　世の中が目まぐるしく変化し、先行きも不透明な今、どのようなものの見方が望ましいのか。「歴史から学ぼう」とよく言われるし、私も学生たちには、過去と現在を切り離さず、未来ともつながっていることを意識しながら、興味深く歴史を学んでほしいと願っている。先人たちの著作や演説などを読み、彼らのメッセージを探ってほしい。でも、本当に歴史に関心のある人でなければ、なぜそんなことをしなければいけないのか、理解してもらえないのかもしれない。

前田　本当に日本は歴史からも学ばないし、外国の優れた例からも学ぼうとしない。だからなかなか衰退が止められないのかもしれない。「歴史は繰り返さない」などと言って、勉強を怠る私が言うことではないけれども。

平川　米国の小説家のマーク・トウェインが残したその名言は「繰り返さないが、韻を踏む」なのだから、きちんと覚えておいてほしい。

太田　自分がリアルタイムで体験している「今」や「現在」が、どんどん「過去」になっていくことを実感している人は多いはずだ。時の経過とともに、私の「今」が「過去」になり、新しい「今」によって上書きされてしまう。これ自体は仕方がないとしても、すでに「過去」になった私の「今」が、新しい「今」によって、最初からなかったことにされてしまうのには、耐えられないと感じている人も多いのではないか。

前田　「二度と思い出したくない過去もある」などと冗談を言ってはいけないか。でも「今」を生きるとは「過去」の自分と戦うという面もある。東芝の綱川社長の「今」はたぶん大変だろう。臨時株主総会を開いて早く取締役会議長を選んで、次の体制にバトンタッチしたいと考えているかもしれない。ただ、東芝の問題はある意味、日本の伝統的な大企業に共通する悪弊かもしれない。すでに「過去」になっていなければならないものが「今」そこにある。「今」を「過去」にすることも私たちの仕事だ。

太田　視点を少し変え、過去から現在や未来を見ようとするのではなく、まず現在を大局的に見ることから、時の流れをみる作業を始めてはどうかと思っている。大きな歴史のなかで「今」をどう位置づけるかを考え、そのうえで過去の歴史を振り返り、未来図を描いてみる。こうすればさまざまな現実問題に直面し、対処に追われることがあっても、「今」は埋没しないだろう。時間軸だけでなく空間軸に関しても、「今」を起点に考え始めることが、自分たちを見失わないために、とても有効だと思う。

後輩に贈る言葉

大胆な発想や構想を持て

前田　この本の執筆者は必ずしも東大教養学部教養学科の国際関係論分科の卒業生ばかりではなく、年代も昭和54年（1979年）卒を中心に前後に幅があるが、同じ東大でも法学部でも経済学部でもなく、教養学部教養学科を選択してよかったことは何かあるか。

金原主幸　決して優等生ではなかった自分にとって、教養学部教養学科に進学してよかったことがあるかと自問したときに思い出すのは、卒業祝の飲み会での恩師の衛藤瀋吉先生の言葉だ。「たとえ在学中にたいして勉強しなかったとしても、法学部を卒業すれば法学士、経済学部を卒業すれば経済学士だが、君らは教養学士。つまり、何の専門家でもない。それはコンプレックスとなるかもしれないが、社会に出てからはむしろ強みだと思いなさい」

前田　今は正式には学士（教養）と記載するらしいけれども、本当に何に役に立つのかわからない学位だ。

金原　衛藤先生の訓示の意味するところは、狭い特定の専門分野に捕らわれず大胆な発想や構想を持て、素人考えなどと遠慮したり躊躇したりせず未知なることにどんどん挑戦せよ、ということだと理解した。自分自身は甚だ怪しいが、多くの同窓生がこの教えを見事に実践し、各方面で活躍し輝かしいキャリアパスを築いてきたことを嬉しく思う。

平川　私たちは、１９７０年代の後半、東大の駒場キャンパスで数年をともにした。入学して最初の健康診断のとき、男子学生の多くに血圧の異常値が出て、再検査を受けることになった。「体を損なうほど過酷な勉強をしたのかしら」と心配した私はバカだった。それは、うら若き看護学生に手動式の血圧計で腕をとって測ってもらったことが原因だった。その証拠に、再検査で年配の医師に測ってもらったところ、全員が正常値。女性である私は、「男って、そんなにバカなのか」とあぜんとした。私たちは若かった。

前田　作り話じゃないの。女性に腕を握られたぐらいで異常値が出るとは思えないけど。

平川　本当の話だ。宣誓証言してもいい。携帯電話はまだなく、個人がコンピューターを持つことは考えられなかった。私たちは、一流の先生方の講義を聞き、恵まれた少人数のゼミで意見を交わし、ある者はクラブやサークル活動で汗を流し、また酒やマージャンを覚えた。キャンパスでは学生運動はやや沈静化していたが、われわれ学生ばかりでなく教員のなかにも、社会主義・共産主義への期待が生きていた。ソ連型の共産主義に共感できなくても、中国の文化大革命に希望をつなぐ声もあった。暴力的な学生運動は私たちの師弟関係に傷を残していた。長時間のつるし上げを経験されて、学生への恐怖感が抜けないと告白された先生方もおられた。

前田　学生運動が激化して、東大の入試が中止になったのが１９６９年のことだった。私たちの多くは１９７５年入学だから、時代は下るけれども、まだ駒場のキャンパスはゲバ字で書かれた立て看板が多く置かれていて、鉄パイプで頭蓋骨を割られて運動家の学生が死亡する事件もあった。ゲバ字というのは、いわばフォントの一つで、筆跡で誰が書いたかを特定されないように開発したものらしい。

平川　変動相場制は１９７３年に始まっていた。入学の１９７５年当時はまだ1ドルは３００円程度だった。それが卒業の１９７９年までに２００円を突破した。１９６４年に海外への観光旅行が解禁されたが、海外旅行はまだ特別なものだった。奨学金をもらって米国の大学に留学することになった大学院の先輩は、飛行機に乗るまで緊張のあまり下痢に苦しんだという。当時の私たちに、世界はまだ遠かった。

前田　生活協同組合で格安の海外航空券を取り扱っていて、4年の卒業旅行で朝日新聞社に就職が決まっていた星浩君（現在はＴＢＳテレビのスペシャルコメンテーター）らと1カ月ほど欧州に行ったとき、航空運賃はモスクワ経由のアエロフロート便で往復20万円強だったのを覚えている。

平川　卒業の1979年は第2次石油ショックで、就職状況は前の年より悪いと言われた。男子東大生にはさほどの打撃ではなかったらしく、男子も女子も銀行やそのほか花形といわれる大企業に就職していった。円高はそれからも進んだ。列島改造、円高不況、バブルとその崩壊、失われた20年。情報技術（ＩＴ）産業による生活の変化。日本も世界も大きく変わった。バブルと言えば、私たちの世代は、そのさなかに郊外に庭付き一戸建てを買って多額のローンを抱えた世代でもあった。

前田　新聞社に入社して最初のボーナスでシャープのパソコンを購入した。ベーシックと呼ぶ言語でプログラムを作り、記憶媒体はカセットテープ。プログラムは５０００文字程度でいっぱいになったけれども、面白かった。東京メトロの乗車駅名と下車駅名を入れると、最短経路を見つけ出し、運賃を表示する、なんていうのを作って遊んだ。

平川　われわれは教養学科で何を学んだのか。それは在学中から私たちが延々と議論したことだった。法学を学びたいなら法学部に行けばいい、経済学を学びたいなら経済学部がある。それならば、教養学科は何のためにある、と。どの学生もみんな、自分なりの答えを見出したと思う。私が得た答えをまとめるなら、私たちは問題の立て方と学び方を学んだのだと思う。現実の問題には科目指定がない。

いったい何が問題で、何が解決なのかを、自分自身で定義するところから始めなければならない。問題の解決にも科目の枠はない。必要ならば法学も、経済学も、社会学も、歴史も何でも学べばいい。何をどう学べばいいかがわかればいい。教養学科の卒業生は、それをする。

前田　あまり何か体系的なことを勉強した記憶はない。国際法、国際経済、国際金融などの基本的な科目のほかは、興味に任せていろいろな授業に出席した。講座名は忘れてしまったが、玉野井芳郎先生が創造的破壊やアウフヘーベンの概念を一生懸命解説されていた。社会システム論だったかなあ、公文俊平先生はいつも難しいことを言っていた。ソ連研究者の菊池昌典先生の授業も面白かった。卒業論文を指導してもらい、卒業式の懇親会で新聞社に就職することになったといったら、強い力で握手してくれたのを覚えている。

平川　当時の教養学科の先生方は、それぞれに現実の問題に真摯に取り組んでおられた。非常勤講師には、官庁などから、吉富勝先生、香西泰先生など、為替レートの変動に第一線で対応している先生方が来てくださった。「このことでは、今説明した通り、二つの説があるのだけれど、君たちはどう思う」などと先生に問われ、学生たちがさんざん議論したあと、先生に正解を尋ねると、先生方は、異口同音に言われた。「正解は誰もわからない。だから今、世界でみんなが議論しているのだよ」

前田　卒業後の記者生活はいろいろあった。やめたいと思ったこともあったけれども、最近では長く続けていれば、それなりのことはあると考えている。

自分で学ぶための方法

平川　それから40数年の歳月が流れた。私たちはそれぞれの仕事をした。責任ある立場で活躍した者もいれば、特定の分野で高い評価をえた者もいる。私生活では、結婚した者もしなかった者も離婚した者も、子どもを育てた者も持たなかった者もいる。既に鬼籍に入った者も何人かいる。生きていても自分自身の健康を心配しなければならない年齢になった。多くが親の介護のただなかにある。

前田　病気をして、同窓会のアレンジをする気分ではなかった時期もあったが、電子メールなどで案内を送る作業はさほどのことではないので、適当な店を予約して、集まることだけは続けていた。特段、出席の念押しなどをしなくても、自然に集まってくれて、当日の司会や集金は同窓生に全面的に依存してきた。年を取ると、日取りを間違えて来ない人はいるが、ドタキャンをする人はいない。

平川　みんな年を取った。毎年、私たちは同窓会に集まった。あるとき、長く独身だったメンバーのひとりが、最近若い女性と結婚したという話をした。ヤジが飛んだ。「年の差は?」「えっとー、22歳」「そりゃ犯罪だ」。私はそのヤジにヤジを飛ばした。「それは違う。気が若いのは結構だけど、私たちはもう60歳を超えている。60から22を引いて38歳、もう立派な熟女、少しも犯罪じゃない。さ、話を続けて」。歳月に、男のバカを治す力はないようだ。

前田　平川さんはずうっと「男はバカだ」と考えているらしい。そのほうが世の中は丸く収まって平和なのかもしれないけど、生きていくうえでは、バカの振り、鈍感力、空気が読めない振りなどはとっても大切だと思う。15の春の高校時代から一緒だから、今ごろ賢い振りをしても、バレバレだけれど。

平川　私たちは今も教養学科している。10年ほど前、同窓会で「知り合いのある大企業の社長から教養学科からは社長が出ないって言われたけれど、何で出ないのだろう」という質問が出された。すかさずヤジが飛んだ。「それは質問が間違っている。『なぜ社長が出ない』じゃなくて、『なぜまだ出ない』だよ」と。「答は、今はまだ社会が安定し、企業が順風満帆だからだろう。『困ったときの教養学科』だからな」。

前田　上場企業の社長の多くは50歳代後半か遅くとも60歳代前半に就任する。私は管理職コースではなく、専門職コースを歩んだ。長いものに巻かれることは好ましくない、真実は何かを常に追求すべきだという教育を教養学科で受けてきたからだろう。

平川　社長はこれから輩出するという言葉は、そのときはただの強がりだったが、予言になってしまった。数年後、本当にわれわれのひとりが誰もが知る大企業の社長になったとき、広い世間の誰ひとり「就任おめでとう」と言わなかったそうだ。本当に困難な局面だったから。

前田　東芝の社長を務めている綱川智君のことだね。２０２１年4月の再登板時に皆でエールを送ったら、「(失言で東京五輪・パラリンピック組織委員会の会長を辞任した森喜朗・元首相に代わって急遽、登板した）橋本聖子会長の気持ちがよくわかる」というメールが返ってきた。困難な問題を早く処理し、再び同窓会で笑顔を見せてほしい。

平川　私たちの話に戻すと、私たちはみな、どこかでそれぞれの問題と真剣に向き合い、それぞれの持ち場で時代を乗り切り、切り開いてきた。酸いも甘いも、苦いもしょっぱいも辛いもみんな経験して、私たちはいつのまにか、半生を振り返る立場になった。

山口　教養学科で学んだことは、「自分で学ぶための方法」だと考えている。就職して以来、経済調査の仕事をするうえで、経済学士の資格がないことはコンプレックスだった。ただ企業での経済調査は、学者の世界とは違って、そのときどきに降ってくるさまざまなテーマに、決められた時間内に如何に適切に答えを出すかが求められる。その意味で、教養学科で学んだ「勉強法」はたいへん役に立ったと思う。今は大学で一般教養としての経済を教えているが、知識そのものよりも、学生たちに「自ら学ぶ」姿勢を身に着けさせ、社会に出ていくときのアシストになれればいいと思っている。

平川　卒業して間もなくの同窓会で、「自分たちは、国民の税金をたくさん使って楽しい勉強をさせてもらったから、これからは社会に返せるようにがんばりたいね」という言葉を聞いたのを覚えている。大学の勉強は本当に楽しかった。今も同窓生と丁々発止の議論ができ、学ぶことが多い。読者のなかに現役の大学生がいれば、ぜひ学んだことを社会に返す気持ちを持ってほしい。

前田　本書の読者には勤務先の組織の中枢メンバーも多いのではないだろうか。東大卒もいるかもしれないが、東大卒はプライドばかり高くて使いにくいとか、何でも「できない理由から入ってくる」とかいう声もよく聞く。あれこれもっともらしい理由を並べ、正当性を主張する「東大論法」は今や屁理屈の代名詞だ。私が今振り返ってよかったと思うのは、直面する課題から逃げたくなっても何とか踏みとどまり、切り抜けてきたことだ。反省すべきことも多い。それでも右往左往しながら、今に至っている。充実した人生を送ってほしい。

「論客同窓会」発言した同窓生一覧

発言者名	卒業年と分科	主な職歴（新しい順）
内海 健司	79年国際	東京海上日動あんしん生命、東京海上火災保険
内野 淳子	79年アジア	横浜国立大学、厚生労働省
江川 雅子	80年国際	一橋大学、東京大学、ハーバード大学、SGウォーバーグ（現UBS）、ソロモン・ブラザーズ（現シティグループ）、シティバンク
太田 昭子	81年イギリス	慶応義塾大学
勝又 幹英	83年国際	産業革新機構、メリルリンチ日本証券、日本興業銀行
金原 主幸	79年国際	外国人技能実習機構、日本経済団体連合会
神津 里季生	79年アジア	日本労働組合総連合会（連合）、日本製鉄
小嶋 英二	79年国際	ＡＩ・Ｓｉｇｎコンサルティング、タカタ、SAP、KPMG、東芝
島崎 謙治	78年国際	国際医療福祉大学、政策研究大学院大学、厚生労働省
清水 康弘	80年国際	ギリシャ大使、環境省
新宅 祐太郎	79年国際	テルモ、東燃
辻 泰弘	78年国際	参議院議員　厚生労働副大臣
中沖 保	79年国際	ＭＣ山三ポリマーズ、三菱商事
芳賀沼 千里	82年国際	三菱UFJ信託銀行、三菱UFJモルガン・スタンレー証券、野村証券
平川 幸子	79年国際	広島大学、文部科学省
平沼 亮	79年国際	リバーホールディングス、野村証券、野村総合研究所
古田 維	79年国際	文藝春秋
前田 昌孝	79年国際	日本経済新聞社、日本経済研究センター
山口 綾子	78年フランス	国際通貨研究所、東京銀行（現三菱UFJ銀行）
横井 裕	79年国際	中国大使、外務省
横井 久美子	80年国際	東京工業高等専門学校、福島工業高等専門学校、静岡大学、東京工業大学、東京大学、産業能率大学、コーポレイトディレクション、東京電力

（注）50音順、国際は国際関係論

私たちの恩師

ご芳名	ご専門
衛藤 瀋吉	国際政治
岡部 達味	国際政治
小此木 政夫	朝鮮半島政治
小和田 恒	国際機構論
嘉治 元郎	国際経済
菊池 昌典	ソ連研究
公文 俊平	社会システム論
香西 泰	経済学
黄 昭堂	中国政治
玉野井 芳郎	経済学
筒井 若水	国際法
平野 健一郎	国際関係論
村上 泰亮	経済学
山口 岳志	人文地理学
山本 草二	海洋法
吉富 勝	国際通貨論
渡辺 昭夫	国際政治

（注）敬称略。50音順。私たちが在学中（主に1977～79年）に東京大学教養学部教養学科国際関係論分科で教鞭をとった恩師を中心に掲載しました。漏れがありましたら、ご容赦ください。

このほか事務部門の栗林尚靖さんと、米国から来た大学院生のジョン・ボチャラリさん（現・明治大学特任教授）には多くの同窓生が在学中も卒業後もたいへんお世話になりました。

編集後記

読者の皆様へのメッセージは本論で展開したので、編集後記は今回の誌上座談会に参加しなかった同窓生の紹介と、本書の出版に至る詳細な段取りの記載に充てたい。似たような本の出版を考えている全国の人たちに参考になるかもしれない。

１９７９年前後に東大教養学科国際関係論分科を卒業した同窓生は多士済々で、特に朝日新聞社には4人が在籍した。星浩は政治記者出身で、現在はテレビのコメンテーターをしている。六分一真史は最後まで記者の仕事に熱意を持ち、地方から良質な情報を送っている。長濱幸子は記者として活躍後、文化事業に携わってきた。谷啓之は社会部記者や米ニューヨーク特派員を務めてきた。

マスコミではほかに真崎理香がＮＨＫの国際放送の分野で活躍し、矢高則夫が共同通信社で国際問題の編集委員として筆を振るった。

井上隆吉と武井徹は大手商社に職を得て全世界を飛び回った。筑井隆弘と日出間範之は大手銀行で活躍した。筑井はその後、病院で医療関係者をサポートする仕事に就いている。吉松文雄は新聞記者から大手銀行に転職し、投資信託運用会社のトップを務めた後、若い企業経営者を支援する仕事をしている。

綱川智は本文でも何度か名が挙がったが、東芝のプロパーとして困難な状況を切り盛りしている。高橋秀友は日本郵船、小川恭弘と木庭治夫はKDDI、柏木勉は外資系企業で身を立ててきた。西川潔も外資系企業などに勤め、世紀の変わり目の日本のインターネットビジネスの黎明期に会社を興して、東京・渋谷の「ビットバレー構想」を打ち立てた。伊藤宗は日本たばこ産業（JT）を早期に退職し、人生を謳歌している。

官僚では森信親、田代政司らが誌上座談会に参加していない。大蔵省（財務省）入省の森は金融庁長官を務め、官僚らしからぬ大胆さで、つみたてNISAの導入など新機軸を打ち出した。田代は会計検査院のプロパーで、最後は事務総長として日本の行政組織全般に目を光らせた。

大学などで教えている同窓生は多いが、上野隆生は大学院の博士課程に進み、近代日本外交思想史を専攻する学者として身を立てた。もうひとり、忘れてはならないのが松川智子。外資系金融機関勤務を経て1993年から米ワシントンの世界銀行の職員になり、2013年には恋愛小説作家としてデビューした。

物故者も2人いる。三井住友銀行に長く勤め、第一級のビジネスパーソンだった向井修は自動車運転中に突然、倒れた。名簿を頼りに奥様から知らせがあったのは、2012年3月のことだった。アジア経済研究所の研究員だった塩田光喜は２０１４年2月に急逝した。塩田は文化人類学者としてフィールドワークも積み重ね、著書も多い。今でも同窓会に2人が来ないのは不思議だ。

同窓生のなかには「まだ第一線で働いている最中なのに、締めくくりのような本には参加したくない」という理由で、参加しなかった人もいる。多忙を極めている人もいる。再度出版の機会があれば、改めて誘おうと思う。

本書の作成に当たっては、「何か適当な文章を書いて送ってきてほしい」と依頼しても、困惑する人が多いと考え、前田と平川の2人の編集責任者が同窓生一人ひとりに向けて仕事、人生、その他に関する質問を作成し、その質問集を全員に送って、回答の手掛かりにしてもらうようにした。

6月末の締め切りまで約1カ月。何人が回答を寄せてくるか不安だったが、想定よりも多い２０人が最初に何らかの寄稿をしてくれた。寄稿をテーマごとに切り分け、座談会風に仕上げる作業には、7月の4連休と8月の3連休を充てた。

座談会風に仕上げる課程では、文章を統一感のある文体に直したり、いかにも会話をしているように言葉を補ったり、表記の揺れを解消したり、さまざまな工夫をして、一般の読者が気軽に読めるように全体の文章を整えた。話がつながらないところは編集責任者の「前田」「平川」がつなぎの発言を作ったり、架空の「デスク」が司会役として議論を促したりした。

同窓生が書いたオリジナルの文章を、趣旨を生かしつつも大幅に改変したり、編集上の都合で勝手に発言を付け加えたりした部分もある。本書の文責は個々の同窓生にはなく、ふたりの編集責任者が負っている。

本の原案ができ上がった7月末ごろに再び、全員にメールを送り、「追加参加したい人は、賛成でも反対でもいいから他の同窓生の発言の間に割って入ってほしい」と呼びかけた。

この間、本文中に配置する写真、グラフなどの選定に取り組むとともに、表紙デザインの作成に取り掛かった。本の最新状態が寄稿した同窓生ならばいつでもリアルタイムで確認できるように、随時、修正済みのＰＤＦファイルを寄稿者全員に送信した。最終的に印刷できるところまで本が整ったのは、8月末だ。

紙の本として一般書店やアマゾンなどで販売するかどうかはその費用負担を含め、慎重に検討する必要があるが、自分たちが友人や後輩に贈る分は、私家版として印刷して本にできる。アマゾンのＫｉｎｄｌｅなどで電子出版も可能になる。寄稿した同窓生に、一応、かたちのあるものを配れることになるわけで、プロジェクトとしては一段落といえるだろう。

こうした本の意義はいくつかあると考えている。第1に、日ごろは思い出話などで何となく終わってしまう同窓会がかたちになる。第2に、できた本を後輩などに贈呈すれば、食事などに誘ってもまず断られない関係ができ、退職後の人生が豊かになる。第3に、書き物を残すことは将来、子孫が先祖をしのぶ時の非常に大きな材料になる。

そして何よりもの収穫は、大学卒業後に別々の道を歩み、さまざまな知識、経験を身に付けた同窓生が、再びさまざまなテーマで意見を言い合ったことで、知らなかった一面も含めてお互いをよりよく知るきっかけになったことだ。真の友が増え、これからの退職後の人生がより実りあるものになるに違いない。

私たちはたまたま政治のありよう、企業のありようといった比較的、大きなテーマで議論をしたが、地方の学校の同窓生などが地域振興をテーマに本音の議論をし、本のかたちにすることも意義があると感じる。私たちと同じ世代の人たちにとっては、おそらく自分たちの考え方を表明して世の中に影響を与えられる最後のチャンスだ。ぜひ挑戦してほしい。

編集責任者　前田昌孝・平川幸子

２０２１年９月

追記　いつもの同窓会は単なる飲み会です。今回はちょっと気張ってみました。

＜編集責任者＞

前田昌孝（まえだ・まさたか）1975年東京学芸大学附属高校卒、1979年東京大学教養学部教養学科卒、日本経済新聞社に入り、産業部、神戸支社、証券部、ワシントン支局などを経て1997年から編集委員。この間、2010年から13年まで日本経済研究センター主任研究員。「株式市場の本当の話」（日本経済新聞出版、2021年）など著書多数。

平川幸子（ひらかわ・ゆきこ）1975年東京学芸大学附属高校卒、1979年東京大学教養学部教養学科卒、文部省に入り、幼稚園教育課、中学校教育課、学術課、文化庁伝統文化課、JICA専門家などを経て、1999年から広島大学国際協力研究科准教授。2019年退職。教育社会学関係の英語論文多数。

既成概念を崩せ
息づく東大教養学科の精神

2021年11月24日　初版第1刷発行

著　者　グループ東大教養学科1979年卒
編集責任者　前田　昌孝／平川　幸子
発行所　ブイツーソリューション
〒466-0848 名古屋市昭和区長戸町4-40
電話 052-799-7391　Fax 052-799-7984
発売元　星雲社（共同出版社・流通責任出版社）
〒112-0005 東京都文京区水道1-3-30
電話 03-3868-3275　Fax 03-3868-6588
印刷所　モリモト印刷
ISBN 978-4-434-29673-4